JN068204

週刊誌がなくなる日

「紙」が消える時代のダマされない情報術

小倉健一

ワニブックス
|PLUS|新書

はじめに

■「紙の週刊誌」を大衆は読まない

「週刊誌ではもうマス（大衆）に届かない」

これは大手広告代理店の営業担当が漏らした言葉だ。この言葉は、かつて週刊誌に広告を出していた大手企業の共通認識にもなりつつある。

「多くのリーダー層が読んでいるという意味で、月刊『文藝春秋』『プレジデント』『日経ビジネス』……あたりには広告を出す価値はある。オンラインニュースではなかなかリーチできない層を抱えている紙媒体は、今後もしぶとく生きていく可能性がある。しかし、週刊誌ではマスにはもう届くことはない。何より効率が悪い。もし消費者に広く商品やサービスを周知したいならオンラインニュースに広告を出した方が効果的だ。紙の週刊誌には、昔からの付き合いもあって細々と広告を出す程度になるだろう」

広告価値の減少とともに、メディアとしての存在感も徐々に低下していく。かつては政権を揺るがすスクープを連発していた週刊誌だが、文春を除いてスクープを取るための予算は大幅に削られている。

約20年前の小泉政権当時の「週刊誌の怖さ」を自民党議員秘書はこう振り返る。

「当時は『週刊文春』よりも、『フライデー』や『週刊新潮』などの方がはっきりいって怖かった。政権幹部の下半身事情など政権を揺るがすスクープが毎週のように詳細に暴かれていた。今の大多数の週刊誌のネタは、医療、相続などばかりなので、危機管理の観点からは読む必要がない。時折掲載される、選挙情勢ぐらいしか話題にならない。ヤフーニュースとスマートニュースの2つのオンラインニュースを追っていくか、何かが起きたら、知り合いの記者などに、フェイスブック（Ｍｅｔａ）が提供するメッセンジャーアプリなどに記事の切り抜き画像を転送してもらうようにしている。ＬＩＮＥアプリは危機管理上、使わないようにしているものの、それで十分だ」

紙の週刊誌は、大衆に届いていない。何より紙の雑誌に書いてあることは、ネットニュースで流れてくる。急速に薄れつつある紙の雑誌への関心は、オンラインニュースの影響力拡大に取って代わられている。

利用者から見れば「紙の記事」から「オンラインニュース」に切り替わっただけのように見える。メディアの側からしても、紙に掲載するか、オンラインに掲載するかだけの違いのように考えられたこともあったが、それは間違いだ。紙の衰退とオンラインの発展は、もはや社会の在り方も変える「大変革時代」の到来といって過言ではない。紙からオンラインなのではない。紙のメディアは衰退し、オンラインでは、紙とは違うメディアが生まれている。紙とオンラインとで、ある程度の共通点は見つけられようが、断絶も大きく、カルチャーが全く違う。それぐらいの変革が起きているのだ。

その社会の大変革の理由は、大きく3つある。

1つ目は、オンラインニュースの特性の問題。あまりに効率のいい情報伝達をしてしまうために、質の劣る情報が一部の国民のコンセンサス（合意）を得てしまう点だ。

2つ目は、オンラインニュースをつくるメディアの問題。オンラインニュースは、ほとんどが無料であり、広告依存で成り立っている。オンライン広告の売上は上がっているものの、紙の売上の落ち込みをカバーできていないため、メディアが健全な編集体制を維持できない点だ。

3つ目は、読者に与える問題だ。デジタル化が進むことで、知りたいと思う情報が瞬時に手に入るようになった。翻訳機能の進化は明らかなメリットだ。その一方で、スマホ依存などの社会問題も生まれるようになった。

次のデジタル時代に何が起きるのか。どうすれば、デジタルを使い倒し、生き抜くことができるのか。

■デジタル「大変革期」を乗り切る術はあるか

これから本書では、この3つの大変革について、最新データと論文を根拠に読み解いていく。あなたがどんなに紙の週刊誌が好きであろうと、5年以内に滅ぶという不吉な売上予測も登場している。少なくとも大手メディアが「信頼」を保証してくれた「古き良き時代」ではなく、自分の力で情報の価値を見極めなくてはいけないという「実力主義」の時代が到来する。

そんなわけがない、と思うだろうか。

ここで、米マイクロソフト社長のブラッド・スミス氏の「ウクライナを守る。サイバー戦争の初期の教訓」（2022年6月2日発表）と題するレポートを紹介したい。

「マイクロソフトの新しい取り組みの一環として、私たちはAI、新しい分析ツール、幅広いデータセット、そして専門家のスタッフを駆使して、サイバー脅威を追跡・予測しました。これらの新しい機能を用いた結果、ロシアのサイバー活動は、ウクライナ戦争開戦後にロシアのプロパガンダの拡散をウクライナで216％、米国で82％増加させることに成功したと推定できます。

このようなロシアの活動は、複数の西側諸国で、新型コロナウイルスの〈偽のシナリオ〉を広めるために実施された巧妙な活動を基盤にしています。2021年、ロシアにおける国家主導のサイバー作戦では、英語のインターネット・レポートを通じてワクチンの使用を思いとどまらせようとすると同時に、ロシア語のサイトを通じてはワクチンの接種を奨励しました。この6カ月間では、ニュージーランドとカナダで、同様のロシアのサイバー活動が、新型コロナウイルス政策に対する国民の反対を煽りました」

驚くべきことに、ロシアは、西側諸国に「新型コロナウイルスのワクチンは効かない」というフェイクニュースを流し、逆に、ロシアでは「ワクチンは効く」というニュースを流したのだ。日本においても過激な反ワクチン論勢力と、ロシアは悪くないとする勢力が重なっているという指摘があった。例えば、産経新聞「過激な反ワクチン、ロシア擁護『陰謀論』なぜはまる」（2022年4月21日）などだ。

伝達能力があまりに効率化された社会では、敵対的勢力によって誤った世論形成をさせるスキを見せてしまう。これは例えば、大手メディアによって寡占化された社会であれば、起きなかった事態だ。ただし、一部のメディアによって情報が寡占化された社会では、特定のエリート層による世論形成が可能になってしまうなど、別の問題が起きるのは議論の余地はない。つまり、社会がいい方向に進んでいるのか、悪い方向に進んでいるのかわからないが、とにかく社会がどんどん変わってしまっているのが実態なのだ。

では、そんな大変革期にあって、私たちはどうすればいいのだろうか。

今、メディアはどんな状態にあり、何に悩んでいるのか。そして私たちはどうやってメディアと接するべきなのか。本書を読むことで、嫌でもやってくるデジタル時代を乗り越える術をお伝えしたいと、そんな意気込みで本書を書いた。

前書きが長くなってしまった。さあ、本題に入っていこう。

はじめに……2
■「紙の週刊誌」を大衆は読んでいない……2
■デジタル「大変革期」を乗り切る術はあるか……5

第1章 令和メディアの最前線……13
■ヤフーニュースが最も影響力を持つ時代……14
■新聞・雑誌より怖い「ネットのスクープ報道」……16
■プラットフォーマーに振り回されるメディア……21
■「検索エンジン」が言論統制？……26
■戦争の「新しい形」、当事者政府がフェイクニュース合戦……30
■「平均年収5万円の村で……」フェイクニュース製造村の実態……34
■ネットだけでプロ以上の分析、「こたつCIA」ことベリングキャットとは……37
■真実を見極める力こそ「現代を生き抜く力」……42
コラム 「シン・ウルトラマン」からNHKまで！
「撮影は、iPhoneで」が常識の時代になった……46

第2章　紙メディア消滅まで、あと5年 …… 53

■無料オンラインメディア「成功の法則」と「失敗の本質」 …… 54
■主婦アルバイト3人で月間PV300万の「枚方つーしん」 …… 59
■コンビニでも減り続ける「雑誌コーナー」 …… 62
■恐怖の予測「週刊誌は5年以内に全滅」 …… 67
■有料デジタル化が成功する2つの秘訣とは …… 74
■「無料ニュース」から「有料サブスク」への移行は、うまくいくのか …… 78
■大手メディアはサブスク化しても、やっぱり1億PVは必要 …… 82
■「新聞におけるデジタル化」……過酷な現場で何が起きているか …… 87
■「メディアのサブスク」の未来は？ …… 94
■全メディアに待ち受ける過酷な試練 …… 98

コラム　もう紙には戻れない！
DeePLで海外サイト読み放題 …… 100

第3章　デジタル化で起きた大問題……113

■PV数を支え、誹謗中傷を生む「ヤフコメ」……114
■ヤフコメで「いいね！」を集めて喜ぶ40代劇団員の毎日……120
■「4月1日から東京もロックダウン」
……政府高官に届いたフェイクニュース……124
■メンヘラを生む「人と会わない、表情が伝わらない会話」……129
■「無駄なコミュニケーション」こそが「リアル」を支えている……133
■プログラミング教室に通うほどに言葉を失っていく子供たち……136
■「こち亀」が予測していた未来型小学生が「普通の光景」に……139
■10年後、世の中の「49％の職業」は、AIに取って代わられる……145
■AIに負けない「デジタル勝者」を育てるために必要なこと……148
■イーロン・マスクとツイッター社員の激突から学ぶこと……151
■リモートワークは合理的か？　MIT驚きの調査結果……155

コラム　「デジタル図書館」は、日本の出版文化を変えるか……158

第4章　DX時代の読解力の鍛え方……165
■AI vs人間！　どの要素ならAIに勝てるのか……166
■「アナログを許してくれない」世界レベルでの教育環境……170
■読解力を鍛えるたった一つの思考法……176
■「何を質問しようか」と考えながら本を読むことで読解力が向上……180
■デジタル時代の英語習得法「4つの基本、1つのヒント」……182
■ツイッターを使ったアウトプット学習に効果あり……186
■時代遅れと呼ばれても……新聞記者の要約術がすごい……189
■20代以下では8割が「本を読まない」……193
■内閣情報調査室・公安調査庁に学ぶ「インテリジェンス入門」……195
■トレンドに流されず「ニュースの裏側」を読む力を養え……200
コラム「読書する時代」は、本当に終わったのか……203

あとがき……210
■「週刊誌にとって、いい時代」の終焉……210
■紙とデジタルの「連合軍」が勝利のカギ……212

第1章

令和メディアの最前線

――メディアの地殻変動が止まらない。紙の印刷物は、その印刷物が届く範囲でしか影響力がない。自ずと影響力が及ぶ範囲は限定される。しかし、誰もがスマホを持つ時代にあって、オンラインニュースは瞬時に世界を駆け巡る。その圧倒的な効率性と強い影響力をめぐって激しいハレーションが起きている。

■ヤフーニュースが最も影響力を持つ時代

あなたは自然に情報収集している――。突然こう言われても、何のことなのか思い浮かばないかもしれない。あるいは「私は日常的にソーシャルメディアなどでの情報収集に力を入れている」と自負する人もいるだろう。どちらにせよ、いつでも、どこでも容易に入手できる時代に「情報」に触れない日常を送る人は少ない。無意識のうちに大量の情報を浴びているのだ。

あふれる情報を瞬時にもたらすデジタル時代、人々の生活をも変えたのはニュースサイトの存在だ。1990年代初頭に産声をあげた現在のスマートフォン（以下、スマホ）は、タッチパネルの搭載による操作性、利便性の大幅な向上で爆発的に世界中に広

自社サイトに比べて低いPV単価

	ヤフー内における1PVあたりの単価（推定）
全国紙	0.21円
有力紙	0.1円
週刊誌	0.025円

	自社サイトでの1PVあたりの単価（推定）
大手出版（〜1億PV）	1円
大手出版（1〜2億PV）	0.25〜1円
大手出版（2億PV〜）	0.25円
一般メディア	0.25円

※取材をもとに作成

がった。スマホが急拡大中の１９９６年７月、既存メディアを震撼させるサイトが日本に誕生している。Ｚホールディングス傘下のヤフーが運営するニュースサイト「Ｙａｈｏｏ！ニュース（以下、ヤフーニュース）」である。

日本のインターネット利用者の８割超が日常的に利用し、月間約１５０億ＰＶ（ページビュー＝閲覧回数）という日本最大の無料ニュースサイトに成長した同サイトは、デジタル時代の「申し子」ともいえるほど、現代の情報環境に適合した存在といえる。

今や誰もが知る怪物サイトには約６７０の新聞社やテレビ局、雑誌社などが記事を提供し、ヤフーニュース側は閲覧数を基に、読者の評価などを配信料の算定に反映させる仕組みをとっている。

「ヤフー内における1PVあたりの単価は媒体で異なり、一説には全国紙最大手クラスが0・21円、それに次ぐ有力紙が0・1円、地方紙や週刊誌系は実に0・025円まで落ちる」（『ZAITEN』2022年5月号）と言われている。

すべての記事を無料で読むことが可能で、原則として「有料会員」にならなければ読めない新聞社などのサイトと差別化を図っている。読売新聞の編集幹部は「自社サイトを訪問して記事を読んでもらうことが望ましいが、ヤフーニュースに記事を提供しなければ、そもそも読まれる記事量が少なくなる。難しい問題への妙案は見つからない」と頭を抱える。

■新聞・雑誌より怖い「ネットのスクープ報道」

新聞業界で最大の読売新聞が約30年間に1000万部から700万部へと発行部数を急落させた一方で、台頭したデジタルの申し子・ヤフーニュースは1日あたり5億PV

以上をたたき出す。その影響力、波及力は考えるまでもなく、ヤフーニュースの圧倒的な勝利だ。かつて「ペンは剣よりも強し」といわれ、政治家や大企業などの腐敗を厳しく追及してきたマスメディアだが、その代表格は新聞からヤフーニュースに移りつつある。

「先生、ついに『ヤフトピ』ページのトップになりました。コメント欄も3000件を超えて炎上しています。どうしましょう！」

ヤフトピとは、ヤフーニュースのトップページに取り上げられるトピック（話題）のことだ。2006年9月の第1次安倍晋三内閣発足以降、政界は「ネット空間」の影響力を無視することができなくなった。とりわけ、ヤフーニュースの存在は別格だ。同12月に佐田玄一郎行政改革担当相が辞任するきっかけとなった政治資金問題は新聞のスクープ記事が発端だが、ネット上には関連する情報があふれ、記事の「威力」が何倍にも増して政治家を直撃するようになったからだ。第1次安倍内閣の辞任ドミノは続き、退陣するまでの1年間に5人が辞任（自殺を含む）している。

以前であれば、不祥事を報じた週刊誌を秘書らが買い占めたため、永田町や霞が関のどこへ行っても買うことができなくなった。しかし、デジタル時代に矛先を向けてくるのは、自前ではほとんど記事を制作していないニュースサイトだ。「ネット空間」を買い占めることは不可能であり、不祥事が発見すれば姿を隠す政治家が目立つようになった。新聞やテレビなど大量の情報を人々に流すマスメディアは影響力の大きさから「第4の権力」といわれるが、今やその象徴的な存在はヤフーニュースといえる。政治家や秘書たちは、ヤフーニュースを見る地元支持者からの叱咤激励に追われる日々だ。

もちろん、数々の特大スクープを放ち、政治家や芸能人らを震撼させてきた『週刊文春』の取材力は脅威だ。夜の街に出向く政治家は電柱近くに立つ一般人でさえも恐れるようになった。見知らぬ電話番号からの着信が「文春砲ではないか」と警戒されるほど恐れられており、雑誌媒体でありながらネット上で記事や動画を拡散させる手法が奏功したといえる。内部告発者が新聞やテレビといった「オールドメディア」ではなく、文春砲に向くのは自然な流れだろう。

『週刊文春』の驚異的な取材力に裏打ちされたスクープと、ヤフーニュースの影響力の「威力」を格段に上げているのはSNSの存在だ。ネット記事として掲載されたものは瞬く間に拡散され、どれだけ時間が経とうともネット空間に存在し続ける。新聞や雑誌であれば紙幅の都合があるが、ネット記事にはそれもない。検索すれば、あっという間にヒットする。過去の記事であってもネット空間に残っている限り、いつでもツイッターなどをきっかけに再炎上することになる。

２０２２年２月15日、東京地裁は選挙期間中に無免許運転を繰り返したとして、道路交通法違反の罪で在宅起訴されていた木下富美子・前都議会議員に懲役10カ月、執行猶予３年の判決を言い渡した。木下前都議の無免許事故は２０２１年夏の都議選期間中に起こしたもので、直後の報道で発覚していたものの、同11月まで４カ月半も議員辞職を拒み続けた。都議会の一部会派からは地方自治法に基づく「懲罰」を求める声もあがったが、体調不良を理由に欠席を続ける場合の処分は難しかったといえる。

だが、事故報道から炎上したＳＮＳ上では木下氏への厳しい声が続いた。月額約82万円の議員報酬や約２０５万円のボーナスという待遇のよさも批判の的になった。新聞や雑誌だけであれば、身を隠しながらほとぼりが冷めるのを待つという旧来の方法も成り立つ。定期的に取り上げる記事が掲載されるにしても、連日のように「攻撃」されることは紙幅の関係上、ありえないからだ。実際、木下氏は当初「雲隠れ」をしていると報じられた。

しかし、ネット空間はチェーンのように結ばれ、関連するニュースが回り続ける。時には辛辣なコメントが付され、それが増幅していった。都議会関係者によると、木下氏の周辺は「人々の厳しい声は相当こたえた」という。4カ月ぶりに記者たちの前に姿を現した木下氏は「あってはならないようなことを起こしたことを心より反省し、お詫び申し上げます」と頭を下げたが、その視線は虚ろだった。

では、ヤフーニュースやSNSが隆盛ではなかった時代はどうだったのか。1997年に詐欺事件で逮捕された友部達夫元参院議員は、なんと4年4カ月間も国会に姿を見せることがなかった。新聞やテレビ、雑誌での厳しい追及はあったものの、実刑判決確定まで議員報酬は合計1億5000万円超も支給されている。今日でも不祥事が報じられた政治家は病院に入院したり、雲隠れの道を選んだりすることはある。だが、それらが報じられるとSNS上には批判コメントが殺到し、中には「○○で見かけたけど、元気そうだった」などと目撃情報が書き込まれることもある。

ちょっと前までは、多くの人々に情報を発信できるのは新聞やテレビ、雑誌など一部の「プロ」に限られていた。しかし、ツイッターやフェイスブック、インスタグラムなどのソーシャルメディアが広がった今、情報の発信者はそれらの利用者すべてだ。プロ、アマ問わず貴重な情報は一気に拡散され、国境をも越える。こうした事態は、一部の「プロ」たちによる発信だけでは考えられなかったものだろう。

公権力やマスメディアによる権力への監視は依然としてあるものの、ソーシャルメディアを中心とする「１億総探偵」状態はデジタル時代ゆえの産物である。個人的に記してきた日記はブログとして一般公開され、撮影した動画や写真なども共有されることが当たり前になった時代。ネット空間の需給バランスによって左右される一つひとつの価値は、アナログ時代とは大きく変化している。

■プラットフォーマーに振り回されるメディア

２０２１年から２０２２年にかけて、オンラインサイトが苦しめられた。その要因は掲載基準を厳格化したヤフーニュース、そして検索順位ルールを頻繁に変える「Ｇｏｏ ｇｌｅ」にもあるとメディア関係者は指摘する。

民主主義の根幹をなす「言論の自由」が事実上、民間の巨大プラットフォームを運営する会社によって管理される社会が到来しているようだ。これまで民主主義国家と呼ばれる国では、「表現の自由」「出版の自由」「言論の自由」が最大限尊重されてきた。国家や行政機関がこれらを規制することは「圧力」「弾圧」であり、ダメなことであるというのは小学生でも知っていることのはずである。しかしながら、プラットフォーマーによる規制については、行政が実施しようとするものと比べ、あまり批判が出ていないようにも映る。

月間８４０億ＰＶを誇る「Ｙａｈｏｏ！ ＪＡＰＡＮ」の集客の中核を担っている日本最大の無料ニュースサイト、ヤフーニュースだが、２０２１年の冬ごろから、ヤフーニュースに記事を提供している協力媒体への締め付けが厳しくなっているという。

「秋篠宮家と小室家に関する一連の報道を契機に、ヤフーニュース側から突然、『契約に違反している』という〝クレーム〟が頻繁に入るようになった。『関連記事のリンクが本記事と関連していない』というような指摘から、『見出しと本文が違う』『あえて入れる必要のない企業名が見出しに入っている』『個人の体験談だけをもとにした記事は削除せよ』といった指示が細かく入るようになった」（経済メディア記者）というのだ。

その指示の内容は「見出し」やリンクの問題が中心であり、「秋篠宮家騒動」と直接の関連はしていない。

「小室圭さんの中傷記事にひどいものが多かったことで、記事を転載したヤフーニュースに対する風当たりが強まってきたこともあり、この際ついでに他の部分も〝浄化〟してしまおう」ぐらいの「八つ当たりだ」と怒りを感じる記者もいる。

「小室圭さんと眞子さんの結婚の後で、ヤフーニュースの担当者が『もし、小室さん関連の記事を出すなら、ファクトオンリーでやってほしい』と編集方針にまで口を出すようになった。さらにはガイドラインが改定され、『圧』は強くなってきました」という。

これまで過激な見出しなどは、よほどのことがない限り、記事を提供する協力媒体の責任とされ、ヤフーニュース内ではスルーされていた。しかし、これは徹底的な取り締まりが始まったことを意味している。

このようにヤフーニュースが、協力媒体へのプレッシャーを強める中、有力メディアの中にはヤフーニュースへの記事提供に距離を置き、米アルファベット社が提供するGoogle検索、Googleニュースへの接近を見せている。
「Googleで関連キーワードや記事タイトルを検索すると、自社サイトの記事よりヤフーニュースに配信した同じ記事が上位にヒットすることは多いです。しかし、ヤフーニュースで記事を読まれても大した収入にはならないので、なるべくならGoogleから直接自社サイトへ流入してきてほしい。実は、Googleのアルゴリズムでは、配信先を絞った方が上位にランキングされることがわかっており、今後、ヤフーニュースと距離を置くメディアが現れてもおかしくはない」（経済メディア編集長）
巨大プラットフォーム、ヤフーニュースにメディアは対抗できるのだろうか。共同通信（2022年6月22日）には、こんな記事が配信されていた。
「公正取引委員会は22日、ヤフーなど巨大IT企業が運営するニュースサイトへの記事配信契約を巡り、複数の報道機関が共同で巨大IT側と交渉することは法的に可能だとする見解を公表した。配信料を共同で決めて競争を制限することは認められないが、配信料の前提となるニュースサイト運営の収益について情報開示を求めたり、契約書の書式を統一したりする形での連携は独禁法上問題ないと判断した。インターネットのニュースサービスでは、読者や広告主と関係を築く巨大ＩＴの力が強く、記事を提供する報道機関の側には取材コストに見合う適正な対価を受け取れていないとの不満が強い」

適正な対価をめぐっての争いは、今後、激化していきそうだ。

だが、Ｇｏｏｇｌｅなら安泰、というわけではない。

アルファベット社はＧｏｏｇｌｅアドセンスと呼ばれる広告サービスを提供している。自サイトにこのＧｏｏｇｌｅアドセンスを導入すれば、金額は時期によって違うものの、平時で「１ＰＶ約０・25円」の収入を受けることができる。ヤフーニュースからは配信を断られたり、配信できても「１ＰＶあたり０・０２５円」と言われる格安の対価しかもらえない無料ニュースサイトにとっては、本当にありがたい存在といえる。

広告営業を実施していない無料サイトにとって、Ｇｏｏｇｌｅアドセンスは収入のほとんどを占めているのが現状だ。ＰＶに連動する広告収入は、広告営業がしっかりしたメディアであっても、やはり無視することのできない収入源の柱となる。逆にＧｏｏｇｌｅに嫌われてしまえば、「サイトの死」にもつながりかねない事態を招く。

一方で、Ｇｏｏｇｌｅアドセンスは、コンテンツの内容ではなく、ＰＶで広告費用が支払われるので「ＰＶ至上主義」となりがちで、コンテンツの質の悪化を招いているとの批判も受けている。

■「検索エンジン」が言論統制？

そんなＧｏｏｇｌｅアドセンスだが、２０２２年2月24日からのロシアによるウクライナ侵攻を受けて、利用者に以下のような「お達し」を出した。ここに全文を掲載する。

「ウクライナでの戦争を受け、Ｇｏｏｇｌｅは、戦争を利用するコンテンツ、戦争の存在を否定するコンテンツ、または戦争を容認するコンテンツを含む広告の収益化を一時停止します。なお、ウクライナでの戦争に関する主張が既存のポリシー（たとえば危険または中傷的なコンテンツに関するポリシーでは、暴力を煽るコンテンツや不幸な事象の存在を否定するコンテンツの収益化が禁止されています）に違反していた場合は、それらの主張に対してすでに措置を取っております。

パブリッシャー様向けガイダンスが今回の紛争に関連しているため、その内容をわかりやすく説明する（場合によっては拡大する）ことが、このお知らせの主旨です。この一時停止措置の対象には、不幸な事象が起きた責任は被害者自身にあると示唆する主張、および被害者に対する同様の非難（例＝ウクライナが大量虐殺を行っている、または意図的に同国民に攻撃を行っているとする主張）が含まれますが、これらに限定されません。よろしくお願いいたします。　　　　Ｇｏｏｇｌｅアド マネージャー チーム」

この通達を読むと、Ｇｏｏｇｌｅは「読者にとってのよりよいメディア環境を整えている」ように思えるものの、「被害者に対する同様の非難（例＝ウクライナが大量虐殺を行っている、または意図的に同国民に攻撃を行っているとする主張）が含まれます」と具体的な例を出しているところに、やや言論統制的なものを感じなくもない。

国家と国家がその存亡をかけて行う戦争では、互いにプロパガンダを流すことも多い。ロシアがフェイクニュースを流しているのと同様に、ウクライナ側もフェイクニュースを流していたといわれている。

「イラクのサダム・フセイン元大統領が大量破壊兵器を隠し持っている」ことを根拠として始まったイラク戦争も、結局のところ大量破壊兵器は見つからなかった。この点は、今も米国を中心に問題視されていることだ。

現時点で確定しているように見えることであっても、後になって否定されることも多いのは歴史を見ても明らかだ。Ｇｏｏｇｌｅという一つの民間サイトが世界中のニュースサイトの収益源となっている今、世界中の「言論環境の管理」をすることのリスクはこれから増すことはあっても減ることはない。

もう一つ、Ｇｏｏｇｌｅは広告だけではなく、「検索」のルールも握っていることはよく知られている。むしろ広告よりも検索の方が有名だ。何かキーワードを入力した時に、表示される検索結果の表示順位もＧｏｏｇｌｅは独自のルールをしばしば変更し、検索上位にあることによって優位な事業展開をしてきた人々を困惑させている。

このルール変更のことを「コアアップデート」「コアアルゴリズムアップデート」と呼ぶ。Ｇｏｏｇｌｅによるコアアップデートは「検索結果を大幅に改善する」ために、検索アルゴリズム（表示順位が上位になる条件）を見直すことだ。

「大幅に改善」された検索順位によって、各サイトのページ（記事）のキーワード順位が大幅に上昇したり、大幅に下落したりするなど検索順位の入れ替わりが起きている。

順位の下落によって、流入が激減し、特別損失を計上した企業もあるという。

Ｇｏｏｇｌｅのアップデートについて、月間３０００万ＰＶを超える金融・投資系ニュースサイト「みんかぶ」編集長の鈴木聖也氏は次のように解説する。

「Ｇｏｏｇｌｅを検索して真っ先に表示される『広告ページ』を読み飛ばす人は多いが、検索順位の１位をとれば、アクセスはものすごく増える。極めて大切なポイントです。ただ、そのルールがアップデートによってコロコロ変わるため、常に追いかけていなくてはいけない。そのルールについて、基本的なことはわかっているのですが、詳細についてＧｏｏｇｌｅは明らかにしていません。Ｇｏｏｇｌｅ検索だけにサイトへの流入を頼るのは危険ですから、複数の流入元、自社サイトへのブックマークを増やしていくほかないのです」

他にも、Ｇｏｏｇｌｅはニュースサイトが配信元を増やすと、検索順位を下げるような設計になっているとされ、メディアは対応に追われる。つまり、サイトやメディアが決して自らのルールを明らかにしないＧｏｏｇｌｅに忖度する。このような状況が現実に起きているということであり、「明らかにしない」ことで「批判も受けない」という状況が訪れている。

なんとなく西側陣営にいて、なんとなく自由な言論を標榜しているように映るＧｏｏｇｌｅだが、その危険性は認識しておかなければならない点だろう。

これまで、新聞社も週刊誌を発行する出版社も、自社のみが記事の内容について責任を持っていた。例えば、『週刊文春』や『週刊新潮』は、「未成年の凶悪犯罪者」について、あえて顔出し・実名報道を行ってきたケースもある。これに対しては厳しい批判が起きる一方で、賞賛する声もあった。しかし、今後、紙の週刊誌が衰退し、情報がすべてヤフーニュースやＧｏｏｇｌｅを介してしか発信できない時代が到来した時、このようなメディア側の自由な判断がこれまで通りにできるのかは大きな疑問が残るところだ。

■戦争の「新しい形」、当事者政府がフェイクニュース合戦

ロシアのウクライナ侵攻がネットメディアに及ぼす影響はＧｏｏｇｌｅだけがもたらすものではない。ロシア・ウクライナ双方が相手の発表を「フェイクニュース」と指摘し合うなどの情報戦が続いている。

フェイクニュースとは、デマや一方的すぎる情報を指すが、これがメディアを通じて広がり、「陰謀論」や政治的なプロパガンダなどと結びついて人々の生活や国の安全保障をも脅かす存在になっている。「ニュース」というだけに報道のような形で広がっていく。

紙の時代での情報の伝播には自ずと限界があった。紙の印刷物を届けられる範囲でしか、情報が拡散しなかったからだ。しかし、オンラインは違う。人類の数ほどに達したスマホやＰＣを通して、ＳＮＳが中心になって効率よく瞬時に情報が伝播していく。それが事実かフェイクなのかが見極められないケースも多い。そして、そんな特性を利用する権力者たちもいる。

その最たる例が、ロシアのウラジミール・プーチン大統領がウクライナ東部でウクライナ政府軍による「ジェノサイド（集団殺害）」が起きていると主張したことだろう。ロシアのタス通信はロシアがウクライナへ侵攻する前の２０２２年２月21日、ロシア領内に侵入したウクライナ軍車両をロシア軍が破壊したと伝えた。しかし、イギリスの調査報道機関ベリングキャットはＳＮＳで拡散した映像に映っているウクライナ軍のものと指摘された車両を装甲兵員輸送車「ＢＴＲ70Ｍ」であると分析した。ウクライナ軍は「ＢＴＲ70Ｍ」を運用していない。

「ジェノサイド」や「ウクライナ軍によるロシア領内への侵入・攻撃」というフェイクニュースが、今回の侵攻の口実に使われていたのだ。ウクライナでもフェイクと思しきニュースが流れており、両国によるフェイクニュースの情報戦が盛んだ。

本書の冒頭でも述べたが、ロシアは、西側諸国に「新型コロナウイルスのワクチンは効かない」というフェイクニュースを流し、逆に、ロシア国内では「ワクチンは効く」というニュースを流している。

フェイクニュース自体は、昔から「デマ」「虚言」など表現は違っていたかもしれないが、存在していた。ただ、私たちも世間話の中で、相手の話が信頼性の足らないものだと感じた時には「それは、フェイクニュースではないの？」と問う場面が増えてきたように感じる。

これほどまでに「フェイクニュース」という言葉が私たちの日常に広まったのは、米国のドナルド・トランプ前大統領のおかげともいえる。トランプ氏が大統領に就任する前後は、米国の世論に主要メディアが偏向的な報道を流しているとの不満が高まっていた。トランプ氏は主要メディアに対して、ツイッターを使って「フェイクニュースだ！」と攻撃を続け、喝采を浴びた。

その後、大統領に就任すると、自分が気に食わない記事に「フェイクニュース」のレッテルを貼ることが増え、ジョー・バイデン氏との大統領選に敗北した時には「選挙で不正が行われた」というフェイクニュースをツイッターに投稿。さらには支持者を扇動したとして、ツイッターを「永久追放」されてしまった。

そして、米国のテスラＣＥＯであるイーロン・マスク氏が「（ツイッターは）一見、穏健に見えるが、強い左派のバイアスがかかっている」「言論の自由を守る」として、トランプ氏の永久追放を「正しくなかった」と発言。その上で「誰もが自分の意見を述べることができる場でなくなれば、根本的な信頼を損なってしまう」と述べた。ホワイトハウスのサキ大統領報道官は２０２２年5月10日、マスク氏の発言を受けて「誰が許され、誰が許されない、という判断はプラットフォームを運営する企業が決めるべきだ」「オンラインプラットフォームが言論の自由を守ると同時に、間違った情報の発信源にならないことを望む」と語っている。

言論の自由は、最大限に認められるべきなのだ。しかし、プーチン氏やトランプ氏のようなケースについては、受け取る側が「フェイク」を見抜く力をつけていかねばならないだろう。フェイクニュースをつくるのは、決して権力者側だけではないことにも注意した方がいい。

誰もが騙される当事者であると同時に、騙す当事者でもあるのだ。世論工作は、政党、メディアだけでなく、一般市民が自ら信じる組織のために実行しているケースも多い。

■「平均年収5万円の村で……」フェイクニュース製造村の実態

では、権力者以外に誰がフェイクニュースをつくるのか。NHKが2018年に取材した「フェイクニュース村」を紹介したい。

この村の名は「ヴェレス」といい、マケドニアという東ヨーロッパのバルカン半島南部にある小さな国に存在する。米ニューヨークから飛行機を乗り継いで、20時間かけて首都スコピエのスコピエ・アレクサンダー大王空港（現・スコピエ空港）に到着。そこから南に50キロほど車で走ったところにある。

人口約４万人のヴェレスは、住民の月収が５万円程度と豊かとは言えない地域だ。取材をしたＮＨＫ佐野広記ディレクターによれば、この町では市民がこぞって英文のフェイクニュースを作成し、ＰＶを稼ぐことで収益を得ているのだという。

「耳にピアスして『渋谷で遊んでいます』みたいな感じの大学生が、取材に応じてくれました。『米国人はバカだ』『オレたちはあるわけがない嘘を書いているのに、奴らは本気にして読むんですよ』『すごくたくさん読まれてボロ儲け。けっこう楽なんだ』と軽いノリで小遣い稼ぎをしている。ヴェレスでフェイクニュースをつくっているのは２００～３００人とのことでした」

マケドニアは英語圏ではない。単語だけを調べて、英語の記事は中学で習ったレベルの文章にするのだという。ゼロから取材して書くのではなく、「ＣＮＮ」などのニュースサイトからテキストを引っ張ってきて、加工ソフトで面白くできるポイントだけ書き換える。

例えば、トランプ氏が「メキシコとの国境に壁を造る」というニュース記事は、文章の大半はそのまま使いつつ、一部を「ネバダに収容所を造ると言っている」などとセンセーショナルに書き換えてしまう。普通のニュースサイトのような文章に仕立てあげ、作成した記事を自分のウェブサイトに掲載、そこに広告配信サービスを埋め込む。読者が広告を見たり、クリックしたりすれば、広告料が入るという仕組だ。

「放課後に毎日5本ペースでフェイクニュースをつくっているという高校生が言うには『クラスでも4割くらいがやっているよ』。自宅での取材時に母親がいたのですが、驚いたことに母親は息子を叱るどころか『もっとやれ』と。『ちゃんとつくりなさい』と催促し、キーボードを打つ子供の手が止まると『私が助けてあげる』と言って手伝うのです。著名な女優の名をあげて、『怪我したとか、大変な目にあった、みたいに書けばいいじゃない』『そうだね、お母さん』というやりとりにはビックリしましたよ」

そうして得たお金でBMWやベンツといった高級車を買う。「ボロボロの車だらけの村に、突然ピカピカの高級車が走っている光景は異様でした」と佐野氏は当時を振り返る。主義・主張に関係なく、ここまでカネ儲けに走るのは驚きだ。プラットフォーム側も規制を試みているが、まるで「いたちごっこ」のような状態が続いている。

やはり、特定の情報の真偽を議論すること以上に、情報分析には情報の利用目的やタイミングの観点から背景を読み解くことが求められる。フェイクニュースも含めた世論工作が氾濫する現代社会において、情報を読み解くスキルを持つことは欠かすことができないものとなるだろう。

■ネットだけでプロ以上の分析、「こたつＣＩＡ」ことベリングキャットとは

情報スキルについて、先の「ベリングキャット」に再度ご登場いただこう。

ベリングキャットは今、世界のメディア関係者のみならず政府機関も注目するイギリスの「調査集団」である。調査集団といえば、国家警察か、それともＮＰＯ法人のような組織・団体を思い浮かべるかもしれない。あるいは、ジュリアン・アサンジ氏が創設した「ウィキリークス」のように機密情報や内部告発情報などをインターネット上に公開する集団をイメージする人々もいるだろう。

だが、エリオット・ヒギンズ氏が率いるグループは、誰もが知り得る情報を収集・分析することによって、世界を驚かすような光を放つ異色の存在なのである。「誰もが知り得る」のであれば、一見それは価値がないように思われる。ほとんどの商品やサービ

スは独自性によって価値が高まり、売買・消費されるのが一般的だ。その点で言えば、ベリングキャットには「独自性」がない。

しかし、ベリングキャットは誰でもアクセスが可能なネット世界の「常識」の中から独自性を発揮する手法を構築することに成功しているのである。

では、ベリングキャットはどのようにメディア関係者や政府機関を驚かせたのか。エリオット・ヒギンズ氏が著した『ベリングキャット　デジタルハンター、国家の嘘を暴く』（筑摩書房）からご紹介したい。

ベリングキャットが注目を浴びるようになったのは、2014年7月の「マレーシア航空17便事件」だった。乗員乗客298人を乗せ、アムステルダムを離陸した同便はウクライナ東部上空で突如消息を絶った。旅客機事故が世界中で報じられることは珍しくないが、この事故が異様だったのは「墜落した」という事実は報道されるものの、原因がなかなか明らかにならなかったことだ。

ロシアがウクライナへの軍事侵攻を始めた2022年2月24日以降であれば、多くの日本人も「ひょっとしたら……」という想像力が働いたかもしれない。しかし、当時は一部の情報機関を除き、事件・事故の両面から捉える向きが少なくなかった。夏休みにクアラルンプールで過ごす予定の家族らを乗せた旅客機がまさか撃墜され、無辜《むこ》の命が奪われたとは信じたくなかった面もあるだろう。

事件当時、ウクライナのドンバス地域では、親ロシアの反政府勢力とウクライナ政権の武力衝突が起こっていた。ドンバスの反政府勢力はロシアと連携しているとされ、強力な武器も使用していた。犠牲が多かったオランダが主導する合同調査チームは、旅客機の残骸などから地対空ミサイルシステム「ブーク」による撃墜を疑い、やがて反政府勢力が支配する地域からミサイルが発射されたとの結論を導き出した。この過程で値千金の情報をもたらしたのはベリングキャットによる情報収集・分析だ。

ベリングキャットのメンバーは誰もが閲覧可能なソーシャルメディアの投稿を分析し、親ロ勢力が支配する「ドネツク人民共和国」の軍を指揮する元大佐のページに「ウクライナ軍の輸送機を撃墜した」と読み取れる投稿を見つけたのだ。「戦果」を誇示するような投稿はすぐに削除されたが、当日ドンバス地域で墜落したのは旅客機のみだった。ベリングキャットははさらに反政府勢力の動きを細かに追う作業を繰り返したという。

情報が錯綜する中、今度はＹｏｕＴｕｂｅに「犯行に用いられた兵器」とする動画がアップされた。地対空ミサイル「ブーク」発射機の走行シーンだ。元の動画はまたしても削除されたが、ベリングキャットはツイッターで動画をフォロワーと共有し、彼らが「探偵」と呼ぶ仲間との情報分析を本格化させる。

ＧｏｏｇｌｅアースにZ投稿された動画の撮影場所を割り出し、ソーシャルメディア上の「調査コミュニティ」を通じて、旅客機を攻撃した「ブーク」の動きなどを時系列で整理。関与を否定するロシア側の欺瞞《ぎまん》を次々に暴いていった。その結果、オランダ主導の合同調査チームはロシアのプーチン大統領の側近が反政府勢力と定期的に連絡を取り合い、指示を出していたと見られると発表した。

繰り返すが、ベリングキャットは国際機関でもなければ、どこかの国の情報・諜報機関でもない。ネット好きが集まった集団にすぎない。現場に行かずに書かれた記事を「こたつ記事」というが、彼らは現場に行かず情報を収集・分析する「こたつＣＩＡ」ともいわれる。彼らはツイッターやＹｏｕＴｕｂｅ、Ｇｏｏｇｌｅアース、インスタグラムという、誰もが見られる「オープンソース」であっても、真贋を見極める有効なツールになることを証明したのである。

今回、ベリングキャットに触れたのは理由がある。それは、世界中から瞬時にもたらされ、真贋入り交じる情報があふれるデジタル時代、私たちはどのように向き合っていくべきか、というヒントに直結するからだ。

ネットの公開情報の分析ならば、誰でもやれるじゃないか。そう思う人もいるかもしれない。だが、実際に始めてみれば、ベリングキャットのような作業が簡単ではないことを思い知るだろう。公開情報は今の時代、誰でも、いつでも、どこでも入手することは可能だが、その一つひとつをどのように「捉える」かによって、「情報の価値」はいくらでも変化するとわかるからだ。

広大な砂漠で紛失したダイヤの指輪を発見することが難しいように、あふれる情報の中から「真実」を追求することは簡単なようで、実は難しい。ベリングキャットが「デジタルハンター」といわれ、仲間が「探偵」と呼ばれるように、彼らの作業は情報入手が容易なデジタル時代であっても根気が必要な作業を伴うのである。

■真実を見極める力こそ「現代を生き抜く力」

デジタル時代の情報戦は、国家の行く末をも動かす。すでに何度か述べた通り、２０２２年2月24日、ロシアはウクライナへの軍事侵攻を始めた。ロシアはＮＡＴＯ（北大西洋条約機構）の東方拡大に繰り返し懸念を示し、ウクライナをはじめＮＡＴＯとの連携を模索する周辺国がロシアの安全保障上の脅威になると主張。ウクライナ東部の親ロシア派勢力を支援するという形で侵攻に踏み切った。

もちろん、軍事力を背景とした一方的な現状変更を国際社会が認めるわけがない。国連のアントニオ・グテーレス事務総長は「この国際法違反を乗り越えるために協力と連帯の下で団結することが求められている」と述べ、米国や英国など西側諸国はロシアへの制裁強化やウクライナへの支援を加速。世界各地では反ロシア感情の高まりとともに、「自分にできることは何か」とウクライナ支援の輪が広がりを見せた。

この時に「情報」の観点から注目されたのは、ロシアの国内世論とそれ以外の情報がどのような変化を見せるのかという点だ。意外に思われるかもしれないが、プーチン大統領の支持率は2月24日の軍事侵攻後に急上昇している。ロシアの民間世論調査機関「レバダセンター」によれば、2月には71％だった支持率が、3月末の調査では、83％にまで跳ね上がった。20年以上も頂点に君臨し、強力な統治システムを築いてきたとはいえ、数字からは「絶対君主」を思わせる。ウクライナ侵攻に「賛成する」との回答も8割超に上った。

国際社会からの批判が高まっていても、ロシア国内でプーチン大統領支持が高かった理由の一つには、その情報統制・言論統制の強さがあげられる。プーチン大統領は2000年の就任時からメディア統制を強め、ウクライナ侵攻前後からネット空間の締め付けも強化。国外からの情報の多くを遮断した。

加えて、3月4日には「軍に関する虚偽情報の流布」を刑事罰にする法律を成立させ、フェイスブックなどの接続遮断を発表している。

国境を越えて瞬時に情報が行き交うデジタル時代にあって、ロシアはさながら「陸の孤島」状態になったといえる。政府系メディアでロシアに不都合な情報や正確な戦況が報じられることはなく、新聞やテレビといった既存メディアはもちろん、インターネット空間でさえも「公式化」されたものばかりとなった。こうした状況下では、たとえ「おかしい」と思っても真実を追求していくのは難しい。

この傾向は、ウクライナがロシア軍の残虐行為を動画などで国際世論に訴えた後も基本的に変化することがなかった。「レバダセンター」の2022年4月下旬の世論調査を見ると、依然としてプーチン大統領の支持率は82%と高く、ロシアが「特別軍事作戦」とする侵攻への支持も7割を超えた。

西側諸国による厳しい対露制裁下にあっても、生活には困らないロシア政府関係者の支持が数字を押し上げているとの見方は強い。それと同時に、オープンであるはずのネット空間がクローズされてしまえば、実像を見えにくくしてしまう怖さを如実に表しているといえる。

2014年にウクライナ領クリミア半島がロシアに併合された際にも見られたプロパガンダの影響はまたも表れた。ネット空間には、対露国際包囲網の構築やウクライナ支援に賛意を送る投稿が多い一方で、親ロシア派が発する「ウクライナ政権による弾圧から守るため、ロシアがやむなく特別軍事作戦を始めた」といった発信も目立つようになったのだ。

これらは、４月26日に国連のグテーレス事務総長がモスクワを訪問した際、会談したプーチン大統領が「特別軍事作戦は国連憲章に沿って始めたものだ」「ウクライナ東部住民の集団殺害を止めるために必要があった」と持論を展開したものと重なる。編集で作成したと見られる動画や「フェイクニュース」も拡散され、自国に有利な世論を作っていこうとする「情報戦」が激しさを増した。欧米との共同歩調をとった日本でその威力を感じた人は限定的だったかもしれないが、ロシア国内やウクライナの戦地においては混乱や戦意高揚などに利用されたことだろう。

ウクライナ侵攻をめぐる情報戦に限らず、相反する情報の中から、何が「真実」で、何が「フェイクニュース」なのかを見極めるのは容易ではない。下手をすれば、知らないうちに「陰謀論」に巻き込まれてしまうこともある。世界中に情報が一気に拡散され、それが真実か否かにかかわらず人々の目に入っていく時代、情報をいかに捌《さば》くのかが人の価値に直結するようになっている。

コラム

「シン・ウルトラマン」からNHKまで！「撮影は、iPhoneで」が常識の時代になった

○ほぼ絶滅した「フィルム」の映像

2022年5月に公開された特撮映画「シン・ウルトラマン」（監督・樋口真嗣、脚本・庵野秀明）は、iPhoneでの撮影が主流だったようだ。映画がクランクインした時に、「4K」で撮れるiPhoneが発売されたのがきっかけだったという。実際、iPhoneで撮ったと思しき広角アングルのカットが多用されている。

その撮影について雑誌『Pen』（2022年6月号）の取材で、樋口監督はこのように話している。

「『シン・ゴジラ』の時は騙し騙しやっていたのですが、今回は最初からiPhoneも使っていきますよ、と宣言し、全員が腹をくくってくれた。だからこそこれ

までにない画が撮れたのだと思います」

また、同映画でウルトラマンを演じた主演の斎藤工氏は、撮影現場についてこう明かしている。

「少しだけ参加させてもらった『シン・ゴジラ』では、僕が入る戦車の中にｉＰｈｏｎｅが仕掛けられていて、『ご自身でＲＥＣボタンを押してください』という撮影スタイルでした。当時は斬新に感じたのですが、『シン・ウルトラマン』では『俳優がｉＰｈｏｎｅで撮影をしながら演じる』というさらに新しいスタイルが取り入れられている」

つまり、映画館で上映されるレベルの高画質をｉＰｈｏｎｅで撮れる上に、撮影ではｉＰｈｏｎｅのおかげで、狭い場所での撮影が可能となったのだ。

「紙」のメディアでも似たようなことはずいぶん前から起きている。２０２０年当時、筆者のいた雑誌編集部では、画質を「４Ｋ」に設定して動画を撮っておき、あとから画像に切り抜くということをやっていた。１時間撮り続けた動画の中から一番いいカットを選ぶのだから、腕のいいプロカメラマンにも負けない写真ができあがる。

気になる撮影方法だが、ｉＰｈｏｎｅのカメラ設定画面を開き、「ビデオ撮影」をクリックし、４Ｋを指定すればいい。あとはよいタイミングで、スクリーンショット機能を使って画像を切り抜けばＯＫだ。

以前は、ｉＰｈｏｎｅどころか、カメラ撮影の主流はフィルムだった。当時のプロカメラマンの説明は「デジタルカメラでは自然にある色をすべて再現できない。その点、フィルムカメラで撮れば、人間の目に映ったものに近いものが撮れる」だった。

フィルムカメラで撮った画像を世に出すためには「現像」という段階が必要なのだが、これに約1日かかってしまう。時に、編集部で原稿はしあがっているのに、写真のあがりをひたすら待つということにもなる。撮った写真がその場で確認できないのも不便だ。

デジカメであれば、取材対象が写真で目をつぶってしまっていることもすぐわかる。月日は流れ、デジカメが普及し、編集部でも面倒な工程を伴うフィルムはほとんど使われなくなった。「あえてフィルムを今回使おう。いい味が出るよ」という考え方に変わったのだ。そもそもフィルムを現像する店舗がどんどん減ってしまった。

◯NHKも取材現場でiPhoneを活用

NHKでも同じような歴史を辿ってきたようだ。「NHKスペシャル」「クローズアップ現代」など数々のドキュメンタリー番組を手がけてきた佐野広記ディレクターから、NHKの〝アナログの歴史〟を聞く機会があった。

「テレビ番組は尺の制限が厳しいので、本当は放送をしたいのにカットしてしまうシーンがありますが、デジタルはそこが柔軟です。デジタルになったことで、作業効率はぐっと上がりましたね。テレビ局にとっては、やはりテープからデータに変わったのがすごく大きいなと思います。私が入社した時はベーカム（ベータカム＝SONYの業務用・放送用高画質カセットVTR）で編集していました。ベーカムだと、どんどんテープが擦れて色が薄くなっていくんです。それにカット残りと言って、映像のつなぎ目に別の映像が短く残る現象も起きやすかった。1時間とかの長尺番組だと気の遠くなるような作業がありました。

私が入社した2006年はデジタル編集への移行期でしたが、当時はデジタルで編集したものをテープにして番組放送していました。音楽も、再生しながらテープに入れていったんです。今は全部デジタルになっているので、デジタルデータで編集して、スタジオでチェックして、放送用のサーバにアップロードする。相当ラクです」

今や、フィルムどころか、普通のデジタルカメラでさえ現場で敬遠されるケースも増えてきた。テレビや動画で記者会見をのぞいてみると、記者が自分のスマホで会見を撮影しているシーンが目立つ。大半のＹｏｕＴｕｂｅ番組もスマホで撮られている。

照明をきちんと設定して、ちゃんとしたカメラで撮影した方がいい場合ももちろんたくさんある。被写体の陰影がはっきりしてカッコいい写真だなと思う時は、たいがいはプロのカメラマンが莫大な金額のかかる撮影機材で撮ったケースだ。

ＮＨＫの佐野ディレクターは、ＮＨＫの番組でもｉＰｈｏｎｅ撮影が行われていると教えてくれた。

「取材の撮影はスマホでもできるんですよ。ｉＰｈｏｎｅで番組を撮ることもあります。先日放送した、佐野史郎さんにご出演いただいた『知られざる１９７０大阪万博』はｉＰｈｏｎｅで撮りました。ブレないし、大きな業務用カメラと比べて被写体との距離の制約も少ない。編集ソフトを使えばきれいな映像になります。ハンディカメラを片手に、一人で現場に行くのは昔からやってきたことですが、ｉＰｈｏｎｅでそれがより便利になりました。スマホと音の入力マイクがあればデジカメもいらない。超望遠など特殊な撮影にはまだまだですが、通常のドキュメンタリーを撮るのであればスマホで十分なクオリティを出せます」

「シン・ウルトラマン」の樋口監督は『Ｐｅｎ』のインタビューで、「ｉＰｈｏｎｅがあれば、誰でも撮影できるわけではない。ヘタな鉄砲は、数打っても当たらない」と指摘している。ＮＨＫの番組も同様だが、映画、テレビ番組、雑誌の動画や写真がｉＰｈｏｎｅで撮れるからといって、「仏像作って魂入れず」のたとえのように、そこに入れる構想や中身がしっかりしていなければ、どうにもならない。

　技術革新が身近なものであるからこそ、中身が問われる時代になってきたということだろう。

第2章

紙メディア消滅まで、あと5年

――素人の主婦3人がつくっている無料ウェブメディアが高収益を上げている例もある一方で、紙メディアは消滅の危機にさらされている。大手メディアは、景気やイベントリスクにさらされ、安定的な収入が得られないとして、無料のオンラインニュースから、有料サブスクへの流れに持っていきたいところだ。だが、思うように有料会員獲得は進んでいない。メディアに残された時間はわずかだ。

■無料オンラインメディア「成功の法則」と「失敗の本質」

無料のオンラインニュースサイトで、きちんとした収益を上げる。あるいは、存在感を出すには、実に月間平均1億PVが必要といわれている。「月間1億PVをコンスタントに出さないと、マス広告の主要プレイヤーと見なされない」（大手広告代理店のインターネット広告関係者）とされているが、1つのサイトで、月間1億PVを出すのは相当額の投資と、ある条件が必須となる。

その、ある条件とは、提携するための審査が厳しいことで知られるヤフーニュースとの提携のことだ。前章でも紹介したように、ヤフーニュースは、月間230億PV（2

021年8月）を誇る日本最大のニュース配信サービスだが、記事を配信して得られるPV単価ははっきり言って安い。各メディアは、収益については目をつぶってヤフーニュースに記事を提供し、その記事からの自社サイトへのPV誘導を狙っているのだ。

無料オンラインメディアの雄である「文春オンライン」でさえ、月間約6億PV（同月）であることから、月間230億PVを誇るヤフーニュースが、ズバ抜けて圧倒的な存在であることがわかるはずだ。

Googleアドセンスが PVに応じて課金されるので、Googleアドセンスの広告収入に依存する無料ニュースメディアは、総PV数を増やすことが至上命題となる。

そして、総PV数は、下記のような計算式で表すことができる。


（総PV数）＝（記事一本の平均PV数）×（記事本数）

総PV数を増やすことがミッションとなると、編集部としては、記事の本数を増やすか、記事1本あたりの平均PV数を上げる必要が出てくるということだ。そこに、「なるべくコストを抑えて」という条件が加わると、編集部は「疲弊するブラック職場」へと変貌を遂げていってしまう。

つまり、現場は、自分の限界まで記事本数を増やすことが求められる上に、さらに平均PV数を増やすために、記事をスキャンダリズムや扇情的にしてしまいがちになるのだ。記事の質が落ち、現場がブラック職場になりがちなのは、無料メディアの宿命ともいうべきものだ。

しかし、記事の質を落とし、憎悪や欲望を煽る記事を繰り返すと、プラットフォーマーであるヤフーニュース側から厳しい指摘を受けることになり、それが続くと「コメント欄」廃止処分が下される。

ヤフーニュースに配信される各記事の下には、読者が感想や意見などを自由に書き込める「コメント欄」がある。このいわゆる「ヤフコメ」は、多様な意見が寄せられることで膨大なニュースに対する共感や批判、反発など、読者がどのような意見を抱いているのかを推し量ることができる。「他の人はどう思ったのか、ヤフコメを見たい」「自分のコメントを書き込みたい」という読者がいるため、ヤフコメはPVアップに欠かせな

無料オンラインメディアがブラック化する方程式

無料オンラインメディアでは、売上はPVに応じて支払われるため総PVを上げることがミッションになる

総PV数とは？

総PV ＝ ① 記事1本の平均PV数 × ② 記事本数

① 記事1本の平均PVをてっとり早くあげる必要がある

フェイクニュースに近い表現を使用する
炎上商法に走る

記事のクオリティは下がる

② コストをかけずに記事本数を増やす必要がある

一人あたりの担当記事を限界まで増やす
手間のかかる記事はつくらない

現場がブラック化していく

結論

総PV数だけを現場に求めると
記事のクオリティがどんどん下がり
現場はブラック化していく

いものとなっているが、人を傷つける「差別表現」の温床にもなっている。

小学館の「NEWSポストセブン」、主婦と生活社の「週刊女性PRIME」、東京スポーツ新聞社の「東スポWeb」のエンタメ記事について、「ヤフコメ」が閉鎖されたことがある。これからもヤフーニュースに限らず、配信先のプラットフォームから厳しいチェックが求められ続けるのは間違いない。

それを回避するためには、有料のサブスクへと移行するか、総PV数以外の指標を広告主に理解してもらう必要が出てくる。有料サブスクについてはのちほど触れたい。総PV数以外の指標を獲得することとは、つまり「広告主が魅力を感じる特定の消費者」にリーチできるメディアであることが明示できるかどうかということだ。

例えば、PVは少なくても、「消費意欲が旺盛な40代女性のためのサイト」「リーダー層が読んでいる」ということが広告主に伝われば、十分に広告は入ってくるものだ。ネットではないが、タクシーの車内広告などはいい例であろう。タクシーの利用者は、電車やバスよりも少ないかもしれないが、ビジネスリーダーや富裕層が利用している可能性が高く、そういった人たちに効果的な宣伝を打ちたい企業にとって、タクシー広告は魅力的に映るのだ。

■主婦アルバイト3人で月間PV300万の「枚方つーしん」

新聞社や出版系メディアが総PV数を追って疲弊する中で、わずか月間300万PV、編集部には専門ライター出身ではない主婦3人という身軽な体制で高い収益を上げているサイトがあるといったら、びっくりするだろうか。

そのサイトの名は「枚方《ひらかた》つーしん」(https://www.hira2.jp) という。「枚方つーしん」は、大阪府枚方市の地域情報だけを扱う「ご当地メディア」だ。枚方市は人口40万人、大阪4位の中堅都市だ。いわゆる田舎ではなく、かといって都会とも言い難い (失礼!)。大阪や京都の中心部のベッドタウンとして知られている。

40万人都市で月間300万PVというのは、1億2000万人の日本全体でいえば月間9億PVを獲得するほどのレベルに相当し、枚方市内限定での存在感としては「文春オンライン」を凌いでいる。枚方市民にとってはお馴染みのメディアといえるのだろう。

内容は、写真がメインの短い記事中心。枚方市に住む人にしかわからないような街の情報をこれ以上ないぐらいに簡潔に伝えている。他にも「〇〇にカフェができるみたい」といった開店・閉店情報や、「〇〇でキツネが出た」といった情報もある。毎日7本程度の記事を配信している。

「主な収入源は企業から広告料を受け取り、広告であることを明示して、記事の体裁で載せる記事広告。記事広告の定価は、サイトの急成長とともに値上げが可能になり、今は1記事20万円を超える単価で請け負う。読者が枚方市に関係ある層に集中しているため、地元の商業施設などから定期的に依頼があり、収益化に成功した」（朝日新聞、2021年4月16日）という。

関係者によれば、「主婦3人のアルバイトで運営している」とされている。サイトを見てみると、ほぼ毎日1記事20万円という「広告」が掲載されている。単純計算で月に600万円の売り上げだ。さらに300万PVによって得られるGoogleからの広告収入が60万円程度と考えれば、月に660万円、年間8000万円ほどの売上になる。

アルバイトで人件費などが抑えられていると見られ（サイトも記事も手が込んでいるとは思えない）、年間1000万円程度の経費しかかかっていない可能性がある。事実であれば恐ろしい収益率をたたき出していることになる。

広告主は「ご当地メディア」という特性を反映してか、不動産会社も多い。運営元は府内全域にサービスを拡充しており、全国にも似たようなサイトが乱立している状況になっている。ターゲットさえしっかりしていれば、少ないＰＶ数でも収益を得られるという好例であろう。

ＰＶ数は少ないというカテゴリーでは他にも、例えば「ITmedia」系のパソコンやデバイスの情報サイト「ITmedia PC USER」、企業ＩＴのトレンドを詳説する「ITmedia エンタープライズ」も月間３００万ＰＶに満たないサイトなのだが、決算を見る限りきちんと収益が上がっているようだ。

「エッジの効いた専門性の高いサイトであれば、ＰＶによって得られる収益は少なくとも、イベントの集客、行動データの提供、企業のイメージづくりに貢献できる。そうであれば、月間３００万から５００万ＰＶでも、クライアントは納得してお金を出す。月間ＰＶが１億超のメディアにいくら広告を出しても、リーチしたい相手には届かず、コストパフォーマンスが悪い印象を多くの企業は持っている」（先述の大手広告代理店関係者）という。

小さなニュースメディアが、次から次に誕生しては消えていく。そういったメディアは初めから規模を追わず、「ご当地」「富裕層」「専門性が高い」ターゲットといった、大手メディアが手を出せないところに狙いを定めた方が良さそうだ。

月間1億PVを稼ぐのは大変だが、アイデア次第で月300万PV（読者層は40万人程度）を目指すというのも、1つの考え方なのだ。日本において、40万人程度が頻繁に利用するカテゴリーを発見しようとするのはそんなに難しい話ではないのではないか。

■コンビニでも減り続ける「雑誌コーナー」

2022年初夏、東京・墨田区の両国1丁目に新しいローソンがオープンした。だが、その広い店内に「雑誌コーナー」はない。小さい店舗ならば、それも理解できるが「大きな店舗なのに？」という経験が珍しくない時代に入っているのだ。

インターネット上でも、コンビニオーナーと思われる人による「雑誌コーナーをつくるより、ＡｍａｚｏｎやＮｅｔｆｌｉｘのプリペイドカードを置いた方が儲かる。雑誌はいらない、というより、邪魔だ」というような投稿も、ネット上で見られるようになった。

コンビニの売上に「雑誌コーナー」が占める割合は、日販のデータによれば２００２年の７％をピークに年々下がり続けている。今では１％程度で「低位安定」している状態だ。ちなみに、タバコは25・８％。余談だが、コンビニは、あまり知られていないものの、今もタバコに経営を依存する業態ともいえる。

「雑誌売上１％」といっても、近年、宝島社の出版物に見られるように「おまけ付き」の雑誌が増えている。実態は、立派なステンレスボトルやブランドのカバンなどに「雑誌がおまけ」として付いているようなものが目立つ。これでは、もはや雑誌というよりも「雑貨」だろう。コンビニにとって雑誌コーナーは、場所を取る割に売上が低い。さっさと撤去してもいいとみられているのかもしれない。

むしろ、わずか1％の売り上げにもかかわらず、雑誌コーナーを残しているコンビニはなぜそうしているのか、不思議に思えてくる。

それは、どのような経営判断からきているのか。

コンビニの特徴といえば、「目的なく、立ち寄る人」の割合が多いことだ。「2、3日分の食事の材料を買いに行く」などの目的意識が明確なスーパーと比べ、コンビニは1日のうちに何度も来店するリピーターも多い。「朝食を買いに」「ATMでお金をおろしに」「新しいカップ麺はないかなと探しに」などと様々なタイミングや目的で訪れている。無目的でスーパーやドラッグストアに入る人は少ないだろうが、「ヒマ潰しに」などコンビニに足を運ぶ動機は他の店とはちょっと違うのだ。

また、単身者の割合も多い。家族のために買い物に来るのではなく、コンビニは自分のために買い物に来る場所なのだ。そのために「実用性が高い」「コスパがいい」ということよりも、「驚き」「好奇心」などが品揃えの中で重視されていく。

「セブン‐イレブン」の最年少取締役にもなった本田利範氏は「私は『コンビニは新商品を置く店である』とよく言っています。実際、コンビニには毎週何かしらの新商品が登場しています。すでに好評な商品も常にリニューアルしているため、年間で約7割の商品が入れ替わっていることがあります」（『売れる化』本田利範著／プレジデント社）と指摘している。

スーパーでは日本で一番のシェアを誇る「スーパードライ」が最も売れているが、コンビニでは「スーパーでは手に入らない、サントリーが○○（コンビニ名）のためだけに独自開発したビール」とうたった商品が爆発的に売れているのだ。コンビニに求められているのは「何か変わった商品が出ていないかな」という期待感でもある。

実は、毎号話題が変わる雑誌は「常に新商品」という性質を持つ。新聞とは違い、定期購読の割合が極端に低いからだ。つまり、読者はその号の特集によって、買ったり買わなかったりする商品に位置している。毎号、出版社が話題のトレンドを捉えて、読者の「衝動買い」を誘うという狙いに満ちた商品だ。

このコンビニへの「期待感」と「話題が変わる雑誌」は、非常にマッチした。単身世代がフラっとコンビニに立ち寄り、「面白い雑誌ないかな」と探す限り、雑誌の売上は低くとも、雑誌コーナーは販売上の意味を持っていると考えるコンビニオーナーはまだ残っているのだ。

セブン-イレブンが2017年に店舗の新レイアウトに着手した。1日1店舗あたり3万円から5万円の売上アップになった大改革だった。2017年というと、2006

年と比較して雑誌の売上が58％減となり、コンビニの売上に占める雑誌の割合が（今とほぼ変わらない）1％程度しかなくなっている状態の時である。

その時でも「雑誌コーナー」は残っていた。セブン-イレブンにとって売上の高いタバコと、雑誌は客を呼び込むと考えられているのだろう。

コンビニの雑誌コーナーが続いているとはいえ、危機が去ったわけではもちろんない。雑誌売上の低迷ぶりは、その雑誌に求められていた「衝動読み」がネットニュースに変わりつつあることを意味する。何か面白い話題はないか、と人が考える時にコンビニよりも身近なスマホを手に取るのだ。

ある大手流通関係者は今後の「雑誌コーナー」について、次のように予測する。

「スマホで得られるネットニュースの方が情報は速く、深く、バラエティに富んでいる。紙の雑誌の役割が終わりつつあるのは間違いない。実際、雑誌コーナーは年々縮小を続けている。当然、コンビニチェーンは『廃止すべき』という議論を毎度のようにしている。ただ、一気になくなるのかというとそうではないだろう。

象徴的なのが、アダルト向けの成人誌、成人コミック誌だ。これだけオンラインで同等の情報が得られる時代でも、細々と存続している。しかも『関連買い・ついで買い』と呼ばれるものが見込める。たとえ雑誌自体の売り上げは１％しかなくても、成人誌やコミック誌を買う人は、飲み物やお惣菜、たばこなどの『ついで買い』が見込める。

高齢者がメイン顧客であるコンビニにとって、雑誌コーナーでの立ち読みは一つの習慣になっている可能性が高い。また、地方では書店がどんどんなくなっており、本が置いてあるのはコンビニだけという実態もある」

かつて雑誌はコンビニの「主力商品」であった。集客力もあった。だが、スマホの時代に突入し、雑誌は低迷している。休刊やネットへの転換が相次ぐ。販売の大半をコンビニに頼っている大手週刊誌にとって、コンビニの雑誌コーナーが減っているという現状は悪夢としかいいようがない。週刊誌は減り続ける売り場に対して、どこまで耐えることができるのだろうか。

■恐怖の予測「週刊誌は5年以内に全滅」

２０２１年の「出版物販売額の実態」（ＰＤＦ版・日販）によれば、「雑誌（紙）」の販売額は、２００６年比で58・６％減と壊滅的な減少を示している。また、２０１５年に５９６０億円あった販売額は毎年５００億円程度の売上減で、最新データの２０２０年では３５８２億円となっている。このまま５００億円ずつ減少していけば、「２０２７年には雑誌の売上はゼロ」になる計算だ。

こうした状況を予測し、２０１７年に経済誌『ダイヤモンド』を発行するダイヤモンド社内で議論された内容は、驚くべきものであった。「最悪のシナリオでは、２０２７年に〈紙の週刊誌〉はなくなる」。実際、ダイヤモンドの社内では「最悪シナリオよりも速いペースで〈週刊誌〉の売上が減っている」ことが確認されているという。

特に心配なのが、コンビニに売上を頼っている雑誌である。書店数８７８９店舗（２０２０年度）に対し、コンビニは5万６９４８店（２０２１年1月現在）もある。コンビニに搬入されるのは限られた雑誌だが、大手経済誌の一つは「実売率が低く、コンビニの売上で利益が出るような水準にはない」としながらも、部数維持・ブランド維持・販売体制維持のためにコンビニ搬入をダラダラと続けているという。

ある大手流通関係者は「コロナ禍にあっては、外国人客が激減し、『巣ごもり消費』

出版物の売上の推移

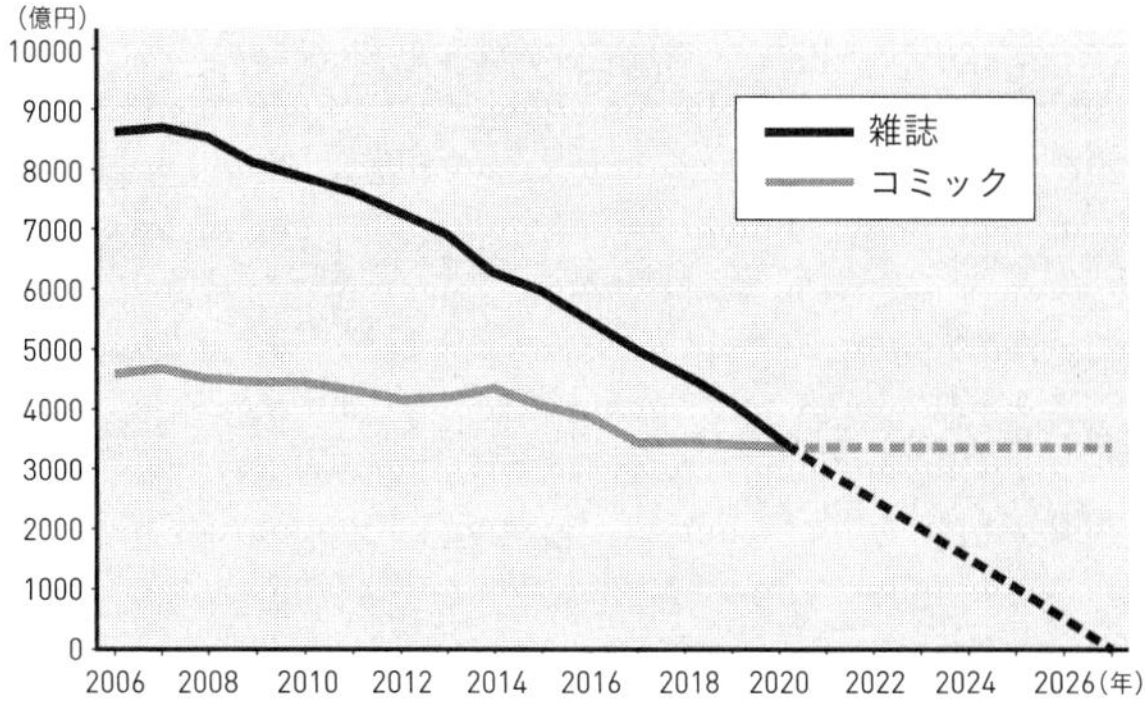

出典　「出版物販売額の実態」（日本出版販売・2021年）／2020年以降は推計

が起きたことで雑誌コーナーは生きながらえた部分があった。しかし、年10％程度の売上減が今後も続くことを前提にして、雑誌コーナーはコンビニ各社が始める新サービスに置き換わっていくだろう。地方では『本屋不足』が起きており、本の棚を拡充して雑誌コーナーは維持されるが、全体で見れば限定的だ。最近では、Ａｍａｚｏｎの『コンビニ受け取り』とメルカリの『荷受け』を始めたことがスペースの減少につながった。コロナが収束すれば何が起きるかわからない」と指摘する。

５年後には全滅するかもしれない「紙の雑誌」。著名媒体の編集部員たちにこの事実を

主要雑誌の印刷部数推移

（単位＝部）

誌名	2008年4月1日	2022年1月1日
週刊文春	766,667	488,769
週刊現代	494,333	360,000
週刊新潮	719,213	296,499
週刊ポスト	519,000	305,500
週刊朝日	294,577	83,833
サンデー毎日	134,625	46,562
アサヒ芸能	243,108	113,212
AERA	188,008	54,250
SPA!	209,983	68,820
FRIDAY	380,000	160,833
FLASH	389,464	103,782
週刊ダイヤモンド	165,250	79,423
週刊東洋経済	129,208	63,769
女性自身	466,017	281,280
女性セブン	499583	305,500
PRESIDENT	288,267	195,267

※一般社団法人日本ABC協会、日本雑誌協会公開数値、各社資料による

主要雑誌印刷部数の前年同月比（2022年1～3月期）

（単位＝部）

誌名	印刷部数	前年同期部数	前年同期比
FLASH	103,782	118,655	▼13%
週刊現代	360,000	36,000	±0
FRIDAY	160,833	172,727	▼7%
週刊プレイボーイ	149,167	160,417	▼7%
週刊ポスト	305,500	320,000	▼5%
週刊新潮	296,499	338,609	▼12%
週刊大衆	146,345	153,027	▼4%
週刊朝日	83,833	99,785	▼16%
AERA	54,250	68,138	▼20%
週刊アサヒ芸能	113,212	119,858	▼6%
SPA!	68,820	88,810	▼23%
週刊文春	488,769	520,000	▼6%
サンデー毎日	46,562	59,319	▼22%

※一般社団法人日本ABC協会、日本雑誌協会公開数値、各社資料による

突きつけてみると、危機感を口にはするものの新たな行動を起こす気まではないように見える。オンライン編集部に「紙の雑誌」編集部の主力が投入されないのも、そうしたことの表れかもしれない。

その理由を聞くと、「社内での職位が『紙の雑誌の編集長』よりも、『オンライン編集長』の方が低い。『紙の編集部』の副編集長クラスが、『オンライン編集長』だ」「『紙の雑誌』には歴史がある。経営陣は『紙の時代』しか経験していない」という。ただ、確かに仮にデジタルに軸足を移し「主力」とみなすにしても、広告収入に頼りきる無料ニュースの「一本足」だけでいいのかというのは甚だ疑問だ。

有料デジタル化の強みは、優良な読者からの「ロイヤリティ（忠誠心）」だ。無料ニュース編集部を悩ませるのは、記事ごとに起きる読者の大変動にある。アフリカ・サバンナの「グレイトマイグレーション（動物の大移動）」のごとく、今日の読者が明日いるとは限らない。さらには、Ｇｏｏｇｌｅから得られる広告単価もコロナ禍で激減したというトラウマもある。安定的な収入を得るのは難しく、危機が起きてもいいようなコストでしか記事をつくることができていないのだ。無料ニュースの編集部には、全くといっていいほど余裕はない。

有料デジタル化によって、課金する読者に「メディアを使い倒そう」という意識が強くなり、ＰＶは安定していく。そもそも、ＰＶ獲得のみを目指した記事をつくる必要性が低くなり、ヤフーニュースをはじめとするプラットフォーマーからの要望に対して余裕を持って対応できる。それは、無料ニュースよりも広告価値が高い読者を抱えることを意味する。有料デジタルは「紙の雑誌」と親和性が高く、事業が軌道に乗るまでの初期コストを回収できれば、たとえ中小出版社であっても、存在感のある雑誌は高い収益率をもって存続していくことが可能になる。成功すれば、いいことずくめなのが有料デジタルといえる。

しかし、初期コストは高く、中小・零細出版社にはデジタル人材が決定的に不足しており、「いろんな人が来て、いろんなことを提案したものの、経営者にはどれが正しいのか最後までわからなかった。紆余曲折を経て、誌面のＰＤＦをそのまま売ることになったが、特集で最も力を入れた誌面が２００円でたった3部しか売れなかった」（有名雑誌を発行する中堅出版社）というのは笑えない話だ。

紙の雑誌と並行して有料デジタル化をいち早く決めたのは経済誌『週刊ダイヤモンド』編集部だった。先の「2027年、紙の雑誌消滅」を予測してのことだったが、ダイヤモンドが有料デジタルを始めた時、ライバル社は「何億円もかけて、全然会員を獲得できていないではないか。バカなことをやっているな」などと悠長に眺めていたものだ。週刊誌編集部も同様で、ダイヤモンドに追随しようとする「バカ」は現れなかった。

しかし、ダイヤモンドはその後、順調に有料会員を獲得し、独走状態に入っていった。紙の週刊誌が消えてなくなっても、独り立ちできる状態にまでなっている。ダイヤモンドが「バカ」だったのではない。他社こそ本当の「バカ」だったのだ。

■有料デジタル化が成功する2つの秘訣とは

現状において有料デジタル化が成功するコツはいくつかあるように見える。

1つ目は、企業や取材相手との対決を厭わない「ジャーナリスティックで攻撃的」な誌面だ。「文春砲」としても知られる『週刊文春』のデジタル版「週刊文春電子版」では、自殺した神田沙也加氏の遺書を掲載した一連の特集で、「5000人程度」（文春関係者）の有料会員を獲得したという。だが、それでも「週刊文春電子版」の有料会員は「伸び悩み・継続率」を問題視され、「『Ｎｕｍｂｅｒ』や月刊『文藝春秋』など、あらゆる紙媒体を統合した有料メディアの創設」が検討されているともいわれている。

だが、「ＮＥＷＳ ＰＩＣＫＳ」（現在の有料会員数は約15万人）立ち上げ時の有料会員が1年で３０００人程度であったことを考えれば、このまま文春単体で突き進むだけでも3年後に3万人、4年後に5万人の読者を獲得できる見通しだ。実際に、有料デジタルが先行する「ダイヤモンド・オンライン」では、毎月４０００人程度の有料会員をコンスタントに獲得できているとされている。その4～6倍といわれる無料会員の獲得と併せて広告やイベントなど周辺ビジネスに波及していく。

２つ目は、「株」「経済ニュース」を有料ニュースの中心に据えることだ。日本経済新聞が成功し、他の新聞が苦戦している状況を考えても、「投資まわり」の経済ニュースに対して支出を惜しまない読者は多いようだ。株や投資にまつわるニュースは、ＡＩが記事を作成してほったらかしてあったり、あまり有名とは言えない「専門家」の競馬予想のようなものがダラダラ並べてあったりと、あまり読む気にならないようなサイトで

「紙の雑誌からデジタル化」のパターン

1	**無料 ニュースサイト**	雑誌掲載記事やオリジナル記事を掲載し、無料で読んでもらうことでPVに応じた広告収入を得る
2	**無料会員向け ニュースサイト**	雑誌記事やオリジナル記事を掲載、多くは無料で記事の途中までを閲覧できるが、全文は無料会員登録後のログインによって全文を読むことが可能。PVに応じた広告収入を得る
3	**有料会員向け ニュースサイト**	雑誌記事やオリジナル記事を掲載、さらに一部無料で読める記事、途中までは無料で読める記事を掲載しつつ有料会員はログイン後、すべての記事を全文読むことが可能。登録者からの月額料金収入と、PVに応じた広告収入を組み合わせるパターンが多い
4	**電子版の 新聞・雑誌**	紙で発行している新聞紙面・雑誌誌面の記事と基本的には同じものを、オンラインで掲載し有料で配信する場合に「電子版」と呼ぶ。体裁は通常のニュースサイト形式のものと、ビューワーなどを使用して紙面・誌面と同じデザインで読めるものとがある
5	**サブスク**	いわゆる「定期購読」のことであり、転じて「オンラインでの定額課金制度全般」を指すようになった。上記で言えば3、4にあたる

も、有料デジタルの会員獲得が進んでいる。

淘汰がまだ起きていない状態にあるため、参入するメディアは増えていくだろう。

無料ニュースが先行する東洋経済新報社では、「東洋経済オンライン」の有料版と無料版を統合するかどうかの議論が行われているという。当面は無料版のＰＶに影響を与えないような形での、ささやかな統合が行われているが、有料会員を伸ばすには、両者をガッツリ統合させることが一番の施策といえる。

無料ニュースの中期的なＰＶの激減が想定されているというが、東洋経済は有料デジタルの獲得が進むとされている「対決を厭わない記事・媒体づくり」という点でも、分析を得意とする伝統的な編集方針との整合性が難しい。無料ニュースの広告が減り、有料デジタルの伸び悩みが明らかになった時、完全なる統合を無視できなくなるだろう。

多くの経営者が悩んでいる有料デジタルの問題点は「カニバリ」であろう。「カニバリ」とは共食いのことで、有料デジタルが進むと紙の売上が減る。そして、有料デジタルのサイトと無料ニュースを統合すると、ＰＶが減ってしまう。

『週刊文春』のように「神田沙也加氏の遺書」レベルのスクープがあれば、有料会員は増えよう。だが、そうでないならば、この問題は解決しようもなく、1～2年程度の停滞を余儀なくされる。これができる編集部はほぼ皆無と言ってよい。つまり、「全誌、討ち死に」。かくして、雑誌文化は2027年をもって、数誌を残して終了してしまうことになる可能性は少なくないのだ。

■「無料ニュース」から「有料サブスク」への移行は、うまくいくのか

2022年5月、2月24日に始まったロシアのウクライナ侵攻に伴うエネルギー単価の急騰に加えて、円安が進み、コスト増となる企業の広告費抑制が顕著になった。そうなると、困るのが収入を広告費に依存する「無料メディア」である。実際、テレビ朝日では広告費激減に向けて幹部による対策会議が開かれた。テレビだけではなく、「無料ニュース」を提供している出版業界も同様だろう。

「どうすれば、『サブスク』(ここでは、有料かつ、デジタルでの定期購読サービスのこと)ができるのか」。そういった問い合わせが筆者にも届くようになった。簡単にはいかないとは思うが、その現状と打開策について述べていきたい。

楠木建・一橋ビジネススクール教授は、日本での「サブスク」の発展について次のように分析している。

「サブスクリプションを古くから導入してきたビジネスが、雑誌や新聞の定期購読に限られた理由は『サービス利用者が定期的にお金を支払う』方法が容易ではなく、集金担当者が購読者の家を回るか、サービス利用者が銀行振込を行う必要があったからです。１９８０年代以降にクレジットカードが普及し、決済のハードルが低くなってからも、必要事項を申込用紙に記入したり、入力したりするといった手間がかかり、利用者にとってサブスクリプションは心理的なハードルもありました。決済へのハードルが高い状況はインターネット普及後も変わらず、２０００年代まではクレジットカードの情報をネットに登録することに、心理的な抵抗を感じる人が少なくありませんでした。

ところが、スマートフォンが普及したことで、決済に対する利用者のハードルが一気に低下しました。サブスクリプションの利用者はクレジットカードの番号をスマホに登録することで、複数のサービスの決済を一定の信頼性のもとに指先を動かすだけで行うことができるようになり、定額サービスの利用および解約のコストが劇的に低下したのです」（2020年2月3日「日経ビジネス電子版」）

そもそも、「サブスクリプション」は17世紀のドイツで「百科事典」を発行する出版社が始めたものだ。「百科事典」という膨大な手間とコストがかかる出版物を発行するには、執筆・編集・印刷の各段階で資本と労働力が必要だった。そのため、元手となる資本をあらかじめ購入者から徴収し、百科事典の分冊という形で定期的にリターンする方法がとられたのだ。日本では古くからある新聞や牛乳の配達サービスが、この一種だ。「サブスクリプション（subscription）」とは、英語で「Sub＝下に」「Scribe＝書く」という言葉が元になっている。契約書の下部に「署名」すること、つまり当事者が互いに約束するということだ。それが「雑誌・新聞の定期購読」を指すようになった。

簡単に述べたサブスクの歴史や語源だが、侮るなかれ、この歴史や語源は案外、サブスクを展開する上でのキーワードになっている。

なぜならば、サブスクの本質とは「お店とお客が、双方にとって利益のある継続的な関係を約束する」ことにあるからだ。この「本質」を満たすサービスを想像するのは案外難しく、「サブスク」という言葉がここまで流行し、どの企業も検討したり、サービス化したりしているのにもかかわらず、撤退している企業も多い。

例えば、消費者との「1回限りの関係」の方が都合のいい店舗や企業がサブスクリプションへ移行しても、決してうまくいかない。消費者とのつながりにコストをかけない方がいい企業、商品を売った後で増えていく消費者からの期待や要望への対応がコストになる場合、成功は見込めない。

これが起きた代表的な例は「食べ放題サービス」「飲み放題サービス」のサブスクだろう。２０１９年11月に焼き肉チェーンの「牛角」が始めた月額1万１０００円で焼き肉食べ放題のサブスクは開始から約2カ月で終了した。サブスク会員が店舗に殺到してしまい、採算が取れず、一般来店客の利用も阻害してしまったのだ。

日本酒のサブスク「ＳＡＫＥＬＩＦＥ」を展開していた会社は、同サービスを事業譲渡した。なぜ、うまくいかなかったのか。

「ＳＡＫＥＬＩＦＥ」は、株式会社Ｃｌｅａｒが運営していた「日本酒の定期購入サービス」だ。月額３０００円で4合瓶1本の日本酒が届く「ほろ酔い」コースと、月額５０００円で一升瓶1本か4合瓶2本が毎月届く「ぐい呑み」コースの2種類。２０１２

年2月にクラウドファンディングサービスで目標額を突破し、100人以上の「パトロン」を獲得したことが話題になっている（https://shokusai-life.com/service-instead-sakelife/）。

しかし、会員が「平均2年」でサブスクをやめてしまうのが、ネックになったという。やめる理由は、サービスに不満があったわけではなく、顧客が日本酒に詳しくなりすぎて、自分で選んだ方が早くなってしまったことが原因だったとされている。「1回限りの方が都合のいい関係」の逆のことで、ヘビーユーザーをすでに抱えている企業の場合も、サブスクに移行してもあまりメリットはない。むしろ、利益回収の期間が長期化するデメリットのみになるため、導入しない方が合理的だろう。長期的にサービスの提供元と消費者が「ウィン・ウィン」の関係を継続するのは、非常に難しいようだ。

■大手メディアはサブスク化しても、やっぱり1億PVは必要

では、メディアのサブスクの可能性はどうなのか。そもそも、なぜ月間PVが1億を超すような大手の無料ニュースサイトが「サブスク」を目指すのか。すべてを無料で読めるニュースの方が当然、影響力も高まりそうだ。

無料ニュースのビジネスモデルの登場は「フリー戦略」と呼ばれる画期的なものだった。「フリー戦略」という言葉を有名にしたのは、2009年に刊行されたベストセラー『FREE』（クリス・アンダーソン著／NHK出版）だ。定食屋「やよい軒」のご飯無料提供などは「直接的内部相互補助」と呼ばれ、一つの商品を売るために別の商品を無料にする戦略となる。一方、商品やサービスをまず無料で提供し一部の人が利用料を払うことでビジネスとして成立させる手法は「フリーミアム」と呼ばれ、ウェブサービスやスマホゲーム、アプリの無料提供（お試し期間設定）や無料サンプル品、クーポンの提供などが該当する。

いずれにせよ、消費者にとって「0円」ほど強い魅力はなく、飲食店に限らず、「無料」「フリー」をビジネスモデルに組み込む動きはもはや一般的であり、「同じフリー戦略でも、無料商品・サービスをまず不特定多数に提供し一部の利用者からコストを回収する『フリーミアム』では、『コストが回収できない』『無料目当ての顧客しか集まらない』という問題も起きている」（「新規事業という病　やってはいけない　新しいこと3パターン」日経ビジネス電子版、2019年6月21日）という。

「ヤフーニュース」のような無料でニュースを提供するサイトが現れるまで、無料ニュースといえば、テレビやラジオから流れてくるものだけであり、新聞・雑誌などの活字分野において、情報とは「お金を払って得るもの」だった。無料でニュースを読めるようにしたところ、多くの人が利用するようになり、影響力が増大。広告だけで採算が取れるようになったのだ。

さらに顧客が全く知らないサービスを知ってもらうきっかけになるのは「無料メディア」の魅力であろう。JR東日本は、駅の自動販売機の「サブスク」を展開している。そこで利益を出すつもりはなく、JR東日本のプライベートブランドを利用者に知ってもらうきっかけにすべく事業を展開しているのだ。

それと同じようなことが、オールドメディアとなった新聞・雑誌と若い世代の接点になっている可能性はある。近年、新聞・雑誌は若い世代のリクルートに困っていたが、そうした無料のオンラインメディアがきっかけとなっての応募も増えたという。

しかし、広告費に頼るビジネスモデルはイベントリスクを抱える上、広告が入っている時でさえも、「天井」があることがわかってきた。「無料ニュースの抱える〝天井〟」

について、大手経済メディア広告部部長はこう解説する。

「各社で違いはあると思うが、１億から2億ＰＶを境に広告単価がどんどん下がっていく。『文春オンライン』が何億ＰＶを稼ごうが、２億を超えたあたりから、ＰＶで得られる収入はＧｏｏｇｌｅの広告にほぼ依存することになる。平均して、１ＰＶあたり約０・２５円程度だろう。これでは黒字といっても綱渡りのような状態だ。かつての雑誌の黄金時代のように儲かっているとは決して言えない。また、業界的には月間１億ＰＶがあることがマス（たくさんの人）にリーチできるという、一つの存在感になっている。これらを総合すると、無料のニュースサイトは月間１億ＰＶ以上を死守しつつ、サブスク化していく可能性はある」

無料のニュースメディアであっても顧客の囲い込みをする上で、「無料の会員登録」は必須であるという。これらの会員登録者に対して、講演会などのイベントを打っていくことが高収益のコツというわけだ。

では、実際に、サブスクを始めるとどのようなことになるのだろうか。サブスクのサイトを運営する経済メディア編集者は、現状をこう明かす。

「サブスク会員は、課金したサイトを使い倒そうとして、PVにも貢献してくれています。他の経済メディアのように無理に皇室や芸能のスキャンダラスな記事をつくって、PV稼ぎに走らなくてもいいのだと思います。また、ウクライナ情勢の影響などで広告が激減しているような状態を迎え、あらためてサブスク会員からの収入はありがたいものだと再認識しました。

問題は、高い解約率です。企画がヒットしてサブスク会員が増えても、どんどん解約していってしまいます。動画や違うコンテンツを充実させていくべきなのか。『NewsPicks』は動画を観たいという動機でサブスクを始めた会員の解約率が低いと聞きました。それは活字メディアでもある私たちにも通じる話なのか。これからも試行錯誤が続くでしょう」

出版社のサブスクは、加入させることばかりが焦点になってしまっている。しかし、それはあくまで一面の真実でしかない。「お店とお客が、双方にとって利益のある継続的な関係を約束する」ということを本質と断言したように、サブスクが成功するか否かは企業がユーザーと「ウィン・ウィン」の関係を維持できるかどうかにかかっている。

「サブスクに加入させておしまい」ではなく、加入させた会員といかに長期的な関係を築いていけるかが今後の課題ということなのだ。

■「新聞におけるデジタル化」……過酷な現場で何が起きているか

「これではリードが重すぎる」「もっとコンパクトに、一目でわかるようにして」。大学を卒業し、憧れの新聞社に入った新人記者たちは4月の1カ月間、本社で研修を受けることが多い。しかし、そこで学ぶのは人事制度や法務関係などの「座学」で、社を代表するような名物記者からの話を聞いても記事の書き方はひとつもわからない。「取材対象者にいかに食い込むのか」「今、読者は何に関心があるのかを意識せよ」などという事項は一般論だけ学んだとしてもあまり役に立たないことが多い。コンプライアンスギリギリを攻める中で、スクープが出ることもある。

そして、大型連休後の異動で初めての地方勤務を経験する。学生時代成績が優秀で論作文が得意だとしても、いきなり「商品」となる記事を書くだけの力が最初からある新人は皆無に近い。「読む」ことと、「書く」ことの違いを思い知るのだ。

リードとは、記事冒頭の一段落を指す。短いベタ記事や特集記事などを除き、普通の記事はリード部分に本文の「要約版」が記される。導入部でありながら、人々に読んでもらう「つかみ」のような部分である。1行が12文字の場合、文頭の10～15行程度がそれにあたる。1面トップ級の記事は本文からリードを抜き出し、その15～20行程度が目立つようにレイアウトされることもあるが、通常の記事であれば15行を超えるリードはダメ出しを食らうことになる。

改行もなく、頭でっかちになれば読みにくいというのが理由だ。新聞記事は「小学生でも読めるように書け」とは、デスクたちから教えられる鉄則である。記者たちは取材したものをリード部分で15行程度に表現する力を毎日磨いていく。大抵、夏の高校野球の予選取材までの間は、先輩記者からの指導を受けながら悔し涙を流す日々が続く。

新聞記者とは「新しく／聞いたものを／記す／者」と書く。ニュースとは「新しいもの」であり、それは取材で聞いたことを書く仕事である。TBSの人気ドラマ「ドラゴン桜2」に情報提供する東大生のプロジェクトリーダーを務めたという西岡壱誠氏は、「本の内容を自分のものにするためには、『読者』ではなく『記者』にならなければダメなんです。本を読むのではなく、本を取材しなければならないんです」と指摘している（『東大読書』東洋経済新報社）。文章を読み解く際は「取材読みで『論理の流れ』がクリアに見える」というのだ。記者たちの仕事は、その模範といえる。

また、明治大教授の齋藤孝氏は著書『頭がよくなる！　要約力』（ちくま新書）の中で、「どんどん高速化される中で求められるのは、情報を素早く要約し、交換できる能力です」と指摘している。重要性が増す要約する力は、記者たちがリード部分に記事を集約する鍛錬とも重なる。

理論上、新聞記者に求められる能力というのは、デジタル時代を生き抜く上で大切なものばかりだ。そして、読者側にとっても、ＯＥＣＤ（経済協力開発機構）の「学習到達度調査（ＰＩＳＡ）２０１８」や、日本新聞協会が展開している「ＮＩＥ」（News paper In Education）活動の学習効果を見れば、新聞が学力（＝読解力）向上につながるなどプラス面は大きい。

だが、その新聞はエネルギーを失いつつある。売上の中核をなす発行・販売部数が減少の一途をたどり、この3年間に「読売新聞」１社分（約７００万部）が失われるという深刻な状況にあるのだ。新聞制作の「現場」は疲弊している。

日本新聞協会の調査によれば、日刊113紙の総発行部数は3302万部（2021年10月）で、前年比200万部を超える落ち込みである。1世帯あたりの部数は0・57部であり、「新聞が読まれない時代」に入っていることを意味している。新聞業界は今、「生きるか、死ぬか」の瀬戸際にあると言えるような状況なのだ。

かつては、読売新聞が「発行部数1000万部を記録した」と胸を張っていたが、その読売でさえも下落傾向は続く。日本ABC協会の報告部数では、1994年は1002万部を記録していたものが、直近で700万部程度にまで落ち込んだ。

インターネットが普及し、誰でも、いつでもスマホやタブレット端末などで簡単にニュースにアクセスできる時代、「新聞を買って読む」という動機は失われてきているといえる。

販売部数と並ぶ新聞社の貴重な収入源である広告費も落ち込む。日本新聞協会が公表している「新聞広告費・新聞広告量」の推移を見れば、その傾向は明らかだ。世界が「IT革命」にわいた2000年、新聞広告費はまだ1兆2474億円もあった。しか

新聞広告費の推移

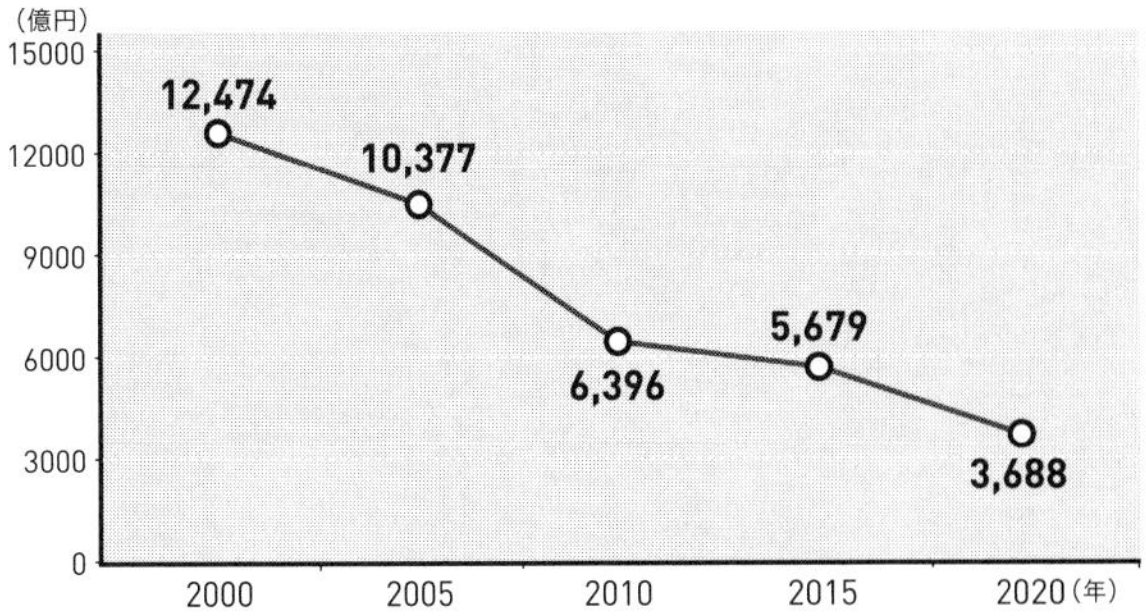

※日本新聞協会ウェブサイトより抜粋

し、２０２１年には３８１５億円にまで激減している。新聞社の基本的な収入構成は、６割近くを販売収入が占めるが、広告収入が落ち込んだ結果、新聞社の総売上高はほぼ半減した。

新聞記者が鍛える能力がデジタル時代の要請であり、新聞の閲読が人々にプラス効果を与えるにもかかわらず、新聞が斜陽産業から抜け出せない理由は何か。それを端的に表すのはデジタル化への対応の遅れだろう。

新聞社の多くは代表取締役が記者出身だ。「○○賞を獲った」「特ダネを書いた」というような優秀な記者であふれている。しかし、それは「一流の選手だった人が、指導者でも一流とは限らない」というプロスポーツの世界とも共通する課題を抱える。経営にタッチしてこなかった記者が出世の階段を駆け上がっても、経営者として一流になれるとは限らない。その結果、時代や業界の先行きもにらみながら経営戦略を立て、組織のマネジメントをする手腕とスピードに問題が生じているケースは少なくない。

米国ではデジタルへの移行は早くから見られていたが、日本の新聞業界もこのまま「紙だけ」で勝負することは困難で、デジタル時代に対応できる大転換を図らなければ生き残ってはいけない。PVを集め、ネット広告でも存在感を発揮する必要に迫られる。

日本新聞協会によると、すべての記事が無料の「無料ニュースサイト」は36社が取り組み、「ペイウォール型」（無料記事＋有料会員限定記事）は2番目に多い33社で、3位はサービスの購入者のみが利用可能な「有料電子版」（26社）。新聞業界での成功例は日本経済新聞だ。専門性が高く、上場企業のビジネスパーソンに多く読まれている日経は「有料会員向けコンテンツ」などでデジタル転換を図り、「勝ち組」といえる。朝日新聞もヤフーニュースに記事を流し、自社サイトに誘導する戦略で一定の成果を生んでいる。

ただ、最大手の読売新聞などはいまだ戦略が固まっているとは思えない。

日本の新聞業界は配達する販売店ネットワークの大きさが重要だったが、これから重要になるのは発行部数や販売店網ではない。質の高いコンテンツをデジタルで読者に提供できる新聞社が有料会員を多く獲得し、新しい時代の「勝ち組」になっていくのだ。そのために新聞社はあの手この手を考え、悪戦苦闘の日々を送る。

保守的なカラーを鮮明にしてきた産経新聞社の編集幹部は「うちは保守層というコアな読者がいるから、他の新聞社よりは『岩盤支持層』を持っている。でも、その人たちが高齢化して離れていけば、やがて潰れてしまうかもね」と自嘲気味に話す。

Ｇｏｏｇｌｅ検索で「朝日新聞　エロ」と入力すると、おびただしい数のヒットがある。「縮むアダルト誌市場、どうなる」「『エロ』テーマ、研究書か有害図書か　自治体指定に反発の声も」といったタイトルには、「あの朝日新聞が？」と思う人もいるだろう。もちろん、どのような取材・表現も自由だ。ニュース価値があると判断して報じ、ルポ記事によって啓発する役割を担うこともあるだろう。

ただ、読売新聞のライバルとして新聞業界を牽引し、学校教材としても用いられることが多い朝日新聞の編集幹部は苦々しい思いだ。「たしかにＰＶは稼げるのかもしれないが、現場の記者としては恥ずかしいものがある。もう、新聞社でもそういうのが求められる時代なのか、と思うと悲しい」。かつては、良質な記事やスクープを書き続ければ、部数増につながるとの自負もあった。しかし、今の時代はそれよりも「ＰＶ数」が求められている。

新聞記者が鍛える力や新聞の閲読は重要性を増しているものの、デジタル時代の変化に新聞業界がついていけない。この矛盾が解消される気配は見えないままだ。

■「メディアのサブスク」の未来は？

デジタルの定期購読、いわゆるサブスクリプションが成長の「踊り場」に入ったこと、そしてメディアの未来についても触れておきたい。

サブスクは未来永劫成長を続けるという「サブスク神話」の終焉のきっかけは、終わりが見え始めたコロナ禍と、エネルギー高騰に伴う不景気の到来、もしくは不景気の到来の予感にある。

日本のメディアだけではなく、米国のワシントン・ポスト紙やニューヨーク・タイムズ紙も「サブスクを節約しよう」というコラムを頻繁に載せるようになっている。

「Subscriptions? In this economy? Free alternatives for watching,reading and listening.」という記事では、「サブスクリプション？　この不景気に？　見る、読む、聴く、の無料代替サービスがあります」（ワシントン・ポスト、２０２２年4月22日）として、動画を無料で見る方法や無料の図書館アプリを使い、家計を守ろうと呼びかけている。ワシントン・ポストもニューヨーク・タイムズも自分たちはサブスクを読者に提供しているが、記事はさすがにそれについての言及はない。

サブスクの代表格でもある動画配信サイト「Ｎｅｔｆｌｉｘ」でも、ついに新規加入者数が減ったことはマーケットを落胆させた。新型コロナウイルスが蔓延し始めた年の四半期に加入者が１６００万人近く増加したＮｅｔｆｌｉｘは、２０２１年１～３月期に４００万人の増加を記録したと発表した。数字はアナリストが予測した６００万人の加入者を下回るものだった。このニュースに投資家は落胆し、時間外取引の早い段階で株価は11％下落した。

日本でも有力なサブスクの成長が止まった。日本経済新聞電子版の会員数が２０２１

年12月に79・7万人となり、同年6月の81・2万人から「純減」してしまったのだ。

成長ペースが落ちるのでなく、減ってしまったことで日経社内だけではなく、メディア業界にも衝撃が走った。同社はこれまで「紙が減っても電子版が増えれば利益は増える」という基本戦略のもと、売上が減っても利益が増えればいいという「減収増益」を目指してきたとされる。だが、このままでは売上も利益も減る事態が待っているのだ。

では、このままサブスク経済は終わってしまうのか。結論からいえば、そんなことはないだろう。新型コロナウイルスが大流行していた時期には、先進国を中心に人々は「デジタル・エンターテインメント」に熱中していた。サブスクは、ほぼすべての業界でより広く、より深く浸透していったのだ。成長の鈍化は致し方ないとはいえ、米金融会社UBSは、これからもサブスクは成長を続け、2025年には市場規模が現在の倍になると予測している。

ワシントンポストには、元セールスフォース（世界一の営業支援システム会社）の最高戦略責任者で、「ZUORA」（世界有数のサブスク支援システム会社）の創設者でもあるTzuo氏が面白いコメントを載せている。

「（サブスクが増えている現状は）今は新しいので少し変に感じるかもしれません。しかし、ケーブルテレビが登場し、４チャンネルから150チャンネルになった時、150チャンネルをどうすればいいのかわかりませんでした。その後、1000チャンネルになった。人々はもっと多くのチャンネルを求めるようになると思う」

また、「Tripadvisor」社のKaufer氏は「コロナ禍があって、一般的な旅行者は、サブスクリプション商品・サービスを受け入れる準備ができていると思う。一般的にサブスクは非常によくやっていて、年間ベースで消費者が何かにサインアップするという概念を教育している」と述べている。

新型コロナが終焉を迎えつつあり、また景気が悪化するような状態で成長は止まっているのかもしれないが、サブスクではない業界は景気悪化の影響をモロに受けている。止まっているように見えるが、「サブスク経済」は健闘しているといっても過言ではない。日本の出版業界でも、これまで以上にデジタル化が進み、いよいよサブスクに舵を切るタイミングだ。しかし、それはこれまでにないスピードでメディア業界が淘汰されていくことにもなる。

米国の出版社は「新規購読者」の獲得に成功している。ニューヨーク・タイムス紙のデジタル購読者は最近600万人を超え、ワシントン・ポスト紙は約300万人、定期購読の「ニュースレター」も目覚ましい成長を遂げている。

■全メディアに待ち受ける過酷な試練

その一方で、米国の地方新聞はデジタルに投資する予算もなく、疲弊している。日本でも地方紙は疲弊し、業界を代表するような著名な雑誌を抱えながらデジタル投資が遅れる中小出版社は多い。

米国の地方紙を救っているのは、Amazon創業者のジェフ・ベゾス氏などの億万長者だ。ベゾス氏はワシントン・ポスト紙のオーナーでもある。ヘルスケア起業家のパトリック・スーン＝シオン氏は、2018年にロサンゼルス・タイムズ紙を買収。セールスフォース社CEOのマーク・ベニオフ氏は『タイム』誌を所有している。

とはいえ、億万長者から報道機関への直接的な援助は、全国規模の報道機関や大都市の報道機関に集中している。投資家で著名なウォーレン・バフェット氏も2012年、全米の地方新聞63紙を買収したが、２０２０年には事業をすべて売却してしまった。バフェット氏は、メジャー紙以外は生き残れないという判断をしたとされている。

日本でこれから起きることも同じことであろう。厳しい言い方をするようだが、特色もなく、知名度の低い地方新聞や雑誌はデジタル化、サブスク化の時代にあって、淘汰される運命にあるということだ。サブスクは日本全体に普及していくが、業界をリードしていた日経新聞は成長の踊り場を迎えた。サブスクで追随しようとしていた経済メディアや新聞メディアには試練が待ち受けている。

コラム

もう紙には戻れない！ DeePLで海外サイト読み放題

○DeePLの驚くべき翻訳力

雑誌を読むことは楽しい。つい、ジャンルを問わず（電子版ビューワータイプで）大量に読み漁ってしまう。そうしていると、思わぬアイデアが浮かんできたり、自分の知らなかった世界に飛び込んだりすることができる。

先日読んだ『日経パソコン』（2022年3月28日号）で紹介されていた「DeePL」という翻訳ソフトの実力が凄まじい。最初は「Google翻訳」よりも少しだけ精度の高い翻訳ソフト、程度にしか考えていなかったが、インストールして使っているうちに今や「DeePL」なしでの生活は考えられなくなる。これまで「Google翻訳」を使っていたものの、日本語文の作成能力はイマイチ。しかし、

「ＤｅｅＰＬ」は違うのだ。簡単に導入の仕方を述べると、「Google Chrome」ブラウザの拡張機能で「ＤｅｅＰＬ」をインストールするだけでいい。あとは海外サイトにいけば、勝手に正確な翻訳をしてくれるのだ。
例えば、英国の「ＢＢＣ」英字ニュースサイトで２０２２年6月4日に公開された「War in Ukraine: We are holding on, say Mykolaiv residents」という記事で使ってみよう。この記事は、ロシア軍による砲撃が毎日のように行われているウクライナの都市の現状をＢＢＣの記者が現地からルポしているものだ。元の英文、Ｇｏｏｇｌｅ翻訳、そして、ＤｅｅＰＬ翻訳をそれぞれ比べてみる。

〈原文〉

「There is shelling every day in Mykolaiv. The Russians are on the outskirts to the east and south, pummelling surrounding villages and forcing thousands to flee.」

〈Ｇｏｏｇｌｅ翻訳〉

「ムィコラーイウでは毎日砲撃があります。ロシア人は東と南の郊外にいて、周囲の村を襲い、何千人もの人々を逃亡させています。」

〈ＤｅｅＰＬ翻訳〉

「ミコライフでは毎日のように砲撃が行われている。ロシア軍は東と南の郊外におり、周辺の村々を打ちのめし、数千人を避難させた。」


事実をわかりやすく伝えていくのが目的であるニュース記事の大部分については、Ｇｏｏｇｌｅ翻訳でも、ＤｅｅＰＬ翻訳でも文章を読み取るのにあまり苦労はしないし、クオリティも保たれているケースが多い。むしろ、ウクライナの都市名「Mykolaiv」をＧｏｏｇｌｅ翻訳は「ムィコラーイウ」と訳し、ＤｅｅＰＬ翻訳は「ミコライフ」と訳していることは大きな留意点だ。

「ムィコラーイウ」はウクライナ語、「ミコライフ」はロシア語の発音だ。最近は、日本で「キエフ」を「キーウ」にするなど、ウクライナの地名を従来のロシア語ではなく、ウクライナ語の発音に近い形で表現するようになった。そのトレンドを踏まえているのは、Ｇｏｏｇｌｅ翻訳である。ウクライナの首都「Kyiv」も、Ｇｏｏｇｌｅ翻訳では「キーウ」、ＤｅｅＰＬ翻訳では「キエフ」となっている。

もし、あなたがＤｅｅＰＬ翻訳を使うケースがあったならば、地名などの固有名詞はきちんと調べ直した方がいいことになる。
しかし、そのデメリットがあったとしてもＤｅｅＰＬ翻訳のすごさを実感するのは、物語のような文章や口語的な表現も加わっている描写のケースだ。一般的な記事であっても、そういった表現は原稿内に多分に含まれている。では、先ほど同様に比べてみよう。文章の引用は、先述のＢＢＣ同記事内のものだ。

〈原文〉

「She holds on to them as long as she can, one under each arm, until it is time to go. Then it is too much. She turns her back and sobs as they leave.」

〈Ｇｏｏｇｌｅ翻訳〉

「彼女は、行く時間になるまで、各腕の下に1つずつ、できる限りそれらを保持します。それなら多すぎます。彼女は背を向けて、彼らが去るときにすすり泣きます。」

〈ＤｅｅＰＬ翻訳〉

「彼女は両脇に1つずつ、できる限り長く抱きかかえて、出発のときを迎える。そして、もう限界だった。彼女は背中を向けて、彼らが去るときに泣いた。」

ニュース記事ではＧｏｏｇｌｅ翻訳の文章のアラは、それほど気にはならないのだが、ほんの少しだけでも文学的な描写になると、Ｇｏｏｇｌｅ翻訳は何を言っているのかわからなくなってしまう。Ｇｏｏｇｌｅ翻訳では、原文を見ながら、丁寧に読み込むと理解することができるのだが、ご覧の通りＤｅｅＰＬの方が極めて流暢な日本語に訳すことができている。

○ギャグが分からない「ＤｅｅＰＬ」

だが、まだまだ発展途上な部分ある。
「ＤｅｅＰＬはお堅い文章を翻訳するときには最強なんですけどね……。その言語特有のジョークとかが文章に入ってくると全然ダメですね」（有料メルマガ配信会社社員）
２０１６年、外国特派員協会で行われたシンガーソングライターのピコ太郎の記者会見では、ピコ太郎の「ありが玉置浩二」を「arigato, or ariga-tamaki-kouji」、「驚き桃の木20世紀」を「I’m so surprised, like a peach tree」と同席した橋本美穂さんが無理矢理同時通訳して話題を呼んだ。
ちなみにＤｅｅＰＬは
「ありが玉置浩二」は「Thanks Tamaki Koji」、「驚き桃の木20世紀」は「Amazing Peach Tree 20th Century」と訳しており、これは橋本さんに軍配が上がる。

○有料版「ＤｅｅＰＬ Ｐｒｏ」が最強

ＤｅｅＰＬのおかげで、「ＢＢＣ」「ニューヨーク・タイムズ紙（米）」「ワシントン・ポスト紙（米）」など英語媒体はもちろん、ロシア語、ウクライナ語にも対応しているため、「Moskovsky Komsomolets新聞（ロシア）」「ニェザヴィーシマヤ・ガゼータ新聞（ロシア）」なども日本語ニュースを読むように読むことができるようになった。非常に有用だ。

さて、気になるお値段だが（通販番組のようだ!-）、なんと無料である。無料版ではいくつかの制限があるのだが、大した制限ではない。ほとんどの人が不自由なく使うことができるだろう。

有料版「DeepL Pro」に申し込むと、「Google Chrome」の拡張機能として活用ができるので、ニュースサイトを開けると勝手に翻訳を始めてくれる。この機能があまりに便利なので、有料版を申し込むことをオススメしたい。ウクライナだけでなく、世界中の知りたい情報が何の苦労もせずに手に入る時代が到来したのだ。経済ニュースや投資情報も、日本語のニュースサイトを利用するように入手できる。これを利用しない手はないだろう。

有料版「DeepL Pro」を使えば日経新聞電子版を読むように、英字の経済新聞系サイトが自在に読めるようになる。経済ニュースでの実力も念のため、確認してみよう。

米「ニュース・ブルームバーグ」の「How Chicken Became the Only Meat Everyone Agrees On」という記事と訳文を比較する。

〈原文〉

「For centuries, a delectable steak or pork loin has been the preferred top of the food chain for diners as societies grew more affluent and improved their diets. No longer. In 2022 chicken consumption is expected to reach 98 million metric tons, double the amount eaten in 1999. That's more than three times the growth rate of pork and10 times that of beef, according to US government data. Global chicken consumption is on track to account for 41% of all meat-eating by 2030. And in less than a decade, for better or worse, humans will for the first time consume far more chicken than any other kind of protein.」

〈ＤｅｅＰＬ翻訳〉

「何世紀もの間、社会が豊かになり食生活が改善されると、おいしいステーキや豚ロースが食卓に上るようになりました。しかし、これからは違います。２０２２年の鶏肉消費量は９，８００万トンに達し、１９９９年の2倍になると予想されている。これは豚肉の３倍以上、牛肉の10倍以上の伸び率である（米国政府のデータ）。２０３０年には、世界の鶏肉消費量は肉食の41％を占めるようになるという。そして、あと10年もしないうちに、良くも悪くも、人類は初めて鶏肉の消費量が他のどの種類のタンパク質よりもはるかに多くなるのである。」

多少の読みにくさは残るものの、ほぼ完璧な日本語と言っていいのではないか。
ちなみに「Ｇｏｏｇｌｅ翻訳」では、同じ原文がこのように訳される。

〈Ｇｏｏｇｌｅ翻訳〉

「何世紀にもわたって、社会がより豊かになり、食事を改善するにつれて、おいしいステーキや豚ロース肉が食物連鎖のトップとして好まれてきました。これ以上。
米国政府のデータによると、２０２２年の鶏肉の消費量は９，８００万トンに達し、１９９９年の２倍の量になると予想されています。これは豚肉の３倍以上、牛肉の10倍以上です。世界の鶏肉消費量は、２０３０年までに肉を食べるすべての41%を占めるように順調に進んでいます。そして、10年以内に、良くも悪くも、人間は初めて他のどの種類のタンパク質よりもはるかに多くの鶏肉を消費します。」

この翻訳では正直、原文と照らし合わせないと読み進めることができない。「ＤｅｅＰＬ」は有料だが、この能力差は大きい。「ＤｅｅＰＬ」を使うようになれば、世界中のニュースが何の苦もなく読めるようになる。「ＣＮＢＣ」は無料で読める記事が多いので、まずは試してみてほしい。

○今オススメの海外ニュースサイト厳選6

オススメしたいのは、投資家・ビジネスリーダー向けのニュースサイトだ。日本のマーケットもＤＸ（デジタルトランスフォーメーション）も、政治も米国の影響力を強く受けている。日本の新聞だけ読んでいても、大局的な構造や新しいムーブメントを理解するのは難しいだろう。お役に立ちそうなサイトを紹介する。

1.「ブルームバーグ」（US）https://www.bloomberg.com/

サブスクは、最初の2カ月が月額２６８円。その後、月額４７０４円。

サイトには「ブルームバーグは１９８１年、情報を通じて世界の資本市場の透明性を高めようという信念の下、アメリカ　ニューヨークで産声を上げました。ブルームバーグを通じて全世界の金融、ビジネス、政治界の皆様に日々、あらゆる判断材料を提供しています」とある。日々のマーケットを追うのに適したサイトだ。高度な分析ツールを配備し、自分で分析をしたい時などに使い勝手がいい。

2.「CNBC」https://www.cnbc.com/world/?region=world
無料で読めるニュースが多い。サブスクは、月額29・99ドル。

「Consumer News and Business Channel」を略した米国のニュース専門放送局が運営するウェブサイトで、ニュース記事にアクセスすることができる。テレビ局がやっているのでインタビューなど動画も充実している。

3.「CNNビジネス」https://edition.cnn.com/business
CNBCと同じようにテレビ局が運営する経済ニュースサイト。特に「SUCCESS」カテゴリーには読者に寄り添ったコラム、例えば〈職場で「NO」と言うべきタイミングはこれだ〉〈思い描いていた老後とは違う　定年退職者がインフレに見舞われている様子〉といった興味をひかれる記事が多数あり、勉強になる。

4.「エコノミスト」https://www.economist.com/
サブスクは初月2100円。2カ月目からは3864円。
創刊が1843年という長い歴史を持ち、同名の雑誌が日本の毎日新聞社系で発行されているが、日本では読売新聞と提携している英国の週刊新聞。日本でいうと、週刊経済誌「日経ビジネス」のノリに近い。

5.「フォーブス」https://www.forbes.com/

サブスクは月額6・99ドル。

今日の名言などの雑談的コラムが満載。成功した億万長者たちのインタビューやアイデア、足跡を辿る記事も多い。デイトレーダーの投資に直結するとは言い難いが、日々読んでおくと「雑談王」になれるのは間違いない。世界の富裕層や経営者が主な読者という。

6.「ウォール・ストリート・ジャーナル」https://www.wsj.com/

サブスクは、最初の2カ月は月額110円、その後は月額1099円。

「WSJ」と表記される世界最大の経済新聞で、名前はニューヨークの金融街「ウォール・ストリート」に由来している。スクープも多く、巨大な影響力を持つ。記事の信頼度が高いとされ、「経済新聞の王様」とも呼ぶべき地位を獲得している。

日本では「毎日新聞」「ダイヤモンド・オンライン」をサブスク登録すると、一部記事が読める。

これまでの日本企業の常識では「英語を駆使して、いち早くマーケット情報収集をすべし」だった。だが、「DeePL」の登場によって、英語を習得する必要はなくなってきたといえる。どのサイトもコラムは飽きずに読めるので、ヒマ潰しにでもオススメしたい。

第3章

デジタル化で起きた大問題

——日本人にとっての「ニュースインフラ」にまで成長したヤフーニュース。だがそのPV数を支えるコメント欄や、皇室批判などを「強力なコンテンツ」としてしまったことで問題が発生している。

また、コロナ禍ではリモートワーク化が進み、人付き合いや交流までもがデジタル化された。一方で、イーロン・マスク氏が「原則出社」を社員に命じるなど、急速なデジタル化には疑問の声もあがる。

■PV数を支え、誹謗中傷を生む「ヤフコメ」

「ヤフコメ欄」といえば、無料ニュースサイト「ヤフーニュース」で配信される記事の下にある実名、匿名を問われないコメント欄のことである。

このコメント欄には、事実のみのニュースではわからない問題の背景や、どうしても突っ込んでしまいたくなるようなニュースへの反応も書き込まれる。メディア関係者を含め、このニュースが国民にとってどのように受け止められているのかを測る一つの尺度になっていることで知られる。

ただ、そういった世の中を知るツールという意味合いとは別に、特定の人間を標的にした過激なバッシングが書き込まれる現場ともなっており、問題にもなっている。

お笑い芸人のとろサーモン・久保田かずのぶ氏は、テレビ番組で自身の評価をヤフコメによって確認しているといいつつ、ヤフコメやＳＮＳなどで頻出する自身への誹謗中傷のコメントに対してこう発言している。

「ヤフコメやＳＮＳで正義面して顔も見せず辛辣な文字で書き込みする糞達と全面戦争。傷ついて泣き寝入りしているタレントや一般人が沢山いる。踏み出せない理由を並べて殻にこもり傷つく人間がいるのなら勇気ある者だけでも踏み出して行こう。平和な令和でありたい」（ツイッター　２０１９年5月14日）

「それこそＳＮＳに誹謗中傷の書き込みをする人らは、本当にもったいない時間の使い方をしているなと思います。僕のところにもいろいろなコメントが寄せられたりもしますけど、いちいち相手にしていたらキリがないというのもあるし、時間の使い方を知らん人なんだなぁという思いもあって、スルーをしているのが現状でもあります」

「本当に何をやってもいい時間なんて実質２～３時間だけだと思うんです。その時間をわざわざ使ってSNSを見て、こいつに文句のコメントを書こうだとか、こいつには『いいね！』を押さないでおこうだとか、これはフェイクだなと分析したり。もっと自分にスポットを当ててろよと思います。他人に矢を放って何をしてるんだと。自分の人生なんだから、人に費やしているヒマはないよと」（「『それが一番愚かなこと』。『とろサーモン』久保田が貫く哲学」2022年5月6日・ヤフーニュース・個人）
誹謗中傷に悩んでいるのは、久保田氏だけではない。ネットの匿名掲示板で「悪人」判定をされると、一挙手一投足をすべて悪意で取り上げられ、叩かれ続ける。そこへいくら反論しても炎上、何かいいことをしても「偽善」「わざとらしい」と認定され、さらなる炎上を生む負のスパイラルへと陥ってしまう。
そんな「ヤフコメ欄」にもメスが入った。秋篠宮家の長女・眞子さんとかねて婚約を発表していた小室圭さんの家族へのバッシング記事が「ヤフーニュース」の記事下にあるコメント欄の大炎上を引き起こしたのがきっかけだった。さらには、ヤフコメで大勢を占めた「秋篠宮・小室家へのバッシングコメント」に寄り添うような記事がつくられるというスパイラルが発生し、これを受けて「ヤフコメ欄」は勢いを増し、バッシングが激しくなっていったのだ。

そんな負のスパイラルを止めるべく、ヤフーニュースは対策として、「ヤフコメ欄」の一部閉鎖を行っていく。

「Zホールディングス傘下のヤフー！は19日、ヤフーニュースで人工知能（ＡＩ）が適切でないと判定した投稿が一定数を超えたコメント欄を、自動で非表示にする機能を導入したと発表した。不適切な投稿を繰り返す利用者に対して投稿を禁止する措置も厳しくした。同社は誹謗中傷などを含む投稿への対策を強化する」（２０２１年10月19日、日本経済新聞）。

同月25、26日には少なくとも４本のコメント欄が閉鎖された。「ヤフコメ欄」の利用者の一部はツイッター上で「言論の弾圧」だとして猛批判を行っている。こうした指示と「ヤフコメ欄」の一部記事閉鎖で事態は終わるかと思われていたが、２０２２年になって、さらに利用者の抑制を進めている。

ヤフーニュースは、自らのルールに積極的に応じない配信元の記事について、広範囲にわたる「コメント欄閉鎖」を断行している。

日テレNEWSはこう報じている。

「ヤフーがネット配信しているニュースのコメント欄のうち、一部が閉鎖されていることがわかりました。誹謗中傷対策の厳格化が進んでいます。

NEWSポストセブン、週刊女性PRIME、東スポWebが提供するエンタメ記事のコメント欄が閉鎖されました。

ヤフーは、誹謗中傷の多い記事については日頃から、AIを活用してコメント欄が自動的に非表示となるシステムを取っているほか、見出しと中身が違ういわゆる「釣り見出し」について、ニュースの提供元に改善を要求しても対応しない場合、契約を解除してきました。

今回、3誌のコメント欄がなくなった件について、ヤフーは『契約上のことなのでお答えできない』としています。

ネット記事へのコメントをめぐっては、ヤフーは『人権侵害や差別に当たる投稿は一切許容しない』として、対策を厳格化しています」（2022年6月1日）

この3社は、ルールを受け入れない部分があったとヤフーニュース側に判断されたということなのだろうが、裏を返せば、これ以外のメディアは（「小室さん騒動」で相当炎上を煽ったメディアは他にもたくさんあったように記憶しているが）、ヤフーニュース側の指示に屈したということを意味しているのだろう。

小室さんをめぐる報道は「公人への評価」は「出版の自由」「報道の自由」「表現の自由」という民主主義の基盤を支えるものであり、自由な意見をいう環境は守られるべきだという意見がある一方で、眞子さんが「複雑性ＰＴＳＤ（心的外傷後ストレス傷害）」と診断されるまでにいたった過激で過剰なバッシングをどこまで許すのかという大きな問題を抱えている。

公人である以上は、あらゆることが「報道の対象」であり、「議論の対象」となるのが現実でもある。オープンな情報のもとで議論は進められていくべきという意見もあろう。しかし、20代（当時）の若い男女がどこまで「正しい判断」「正しい行動」ができるのか。親が借金を抱えている子供が皇室の女性と結婚することについて匿名かつ大量の「ヤフコメ民」によって批判され、その批判をもとに世論がつくられていく。

■ヤフコメで「いいね！」を集めて喜ぶ40代劇団員の毎日

こうした個人攻撃や誹謗中傷、差別的言辞の温床となってきた「ヤフコメ欄」であるが、1日平均32万件の投稿があるという。投稿を読む人は、その数十倍程度いるのではないだろうか。一般の匿名投稿者によって無料で成立する「ヤフコメ」欄は、ヤフーニュースにとって収益・集客につながる人気コンテンツにもなっているのだ。

各コメントには「そう思う」（グッドマーク）、「そう思わない」（バッドマーク）の2つのボタンが用意されている。これを押すと点数が加算され、多いものだと何万、数10万もの「そう思う」がつく。これが投稿した人間の「自己承認欲求」を満たすのだ。

東京都内に住む42歳劇団員のOさんもそんな匿名の「ヤフコメ民」の一人だ。毎日、「ヤフコメ欄」に何を書くのかで悩んでいるという。

「ヤフコメで、『そう思う』ボタンをたくさんもらうために必要なのは、スピードと共感です。注目されているニュースの記事が配信されるタイミングで、世論が共感するであろうコメントを素早く残すのがコツです」と語る。

「世論の『共感』には、バッシングされている芸能人に批判的なことを書く。逆に、持ち上げられている人は持ち上げる。自分の本当の思いとは関係ない。また、逆張りもあまり『そう思う』ボタンは押してもらえません。あくまでも、世論に逆らわずにコメントを残しています」

対価がもらえないのに、日々「ヤフコメ」に投稿するのは、「人をバッシングするというスリル」「自分の意見が認めてもらえる（という承認欲求）」がモチベーションになっているというのである。

ヤフー側は、コメント欄の自動非表示機能について「当社による恣意性を極力排除するために、人による判断ではなく、各コメントの削除判断を行うＡＩを活用し、そのＡＩが判定した点数の集計結果に基づいて、条件や閾値《いきち》を設定しています」「媒体や記事の内容などは影響していません」（『ＺＡＩＴＥＮ』２０２２年5月号）と説明している。

１日あたりの削除コメントの件数は2万件（２０２１年6月時点）、１日あたり３・５本の記事のヤフコメ欄を閉鎖している（２０２１年10〜12月）という。

ヤフコメの質向上に向けては、匿名のコメントだけではなく、２０２０年には「公式コメンテーター制度」をスタートさせている。

「1本400字以内で報酬は2000円。『参考になった』ボタンが押されるごとに0・2円が加算される仕組み」（公式コメンテーター）だとされる。「ギャラ」としては少ないかもしれないが、個人の「名」を売るチャンスであると捉えられている。「自己宣伝をして、テレビ出演につなげたい」という書き手の溜まり場になっているとの声も漏れる。

識者の力で「ヤフコメ」の底上げを図りたいのが、現在の「ヤフーニュース」の戦略ともいえるが、自らの書いた「ヤフコメ」がバズる条件は「素早くコメントを出し、世論に追随すること」（先述の劇団員）である。自分の名を売りたい識者もそのことに気づいていないわけがない。「ヤフコメ」を見る目を私たちは養った方がいい、ということだろう。

今や小学生も利用するSNSで、大きな問題になっているのが誹謗中傷だ。その矛先が向くのは、芸能人や皇族方だけではない。

2022年6月13日、侮辱罪を厳罰化する改正刑法が参院本会議で成立した。インターネット上で蔓延する誹謗中傷の抑止力として求める声が高まり、法定刑の上限を引き上げることになったのだ。

厳罰化は、ネット上の中傷を苦にしたプロレスラーの木村花さん（当時22歳）が自殺した問題をきっかけに機運が高まった。公然と侮辱した行為に適用される侮辱罪の法定刑は、それまで拘留と科料のみで、命を絶った花さんを中傷した男2人の科料は９０００円だった。

改正刑法は「1年以下の懲役・禁錮」と「30万円以下の罰金」を追加する。記者会見した花さんの母親、響子さんの言葉はネット利用者すべてに向けられる。「厳罰化をどう使っていくか。一人ひとりのモラルが問われている」。

２０１９年4月に東京・池袋で暴走した車にはねられ、妻と娘を失った遺族も「金や反響目当てで戦っているようにしか見えない」などとＳＮＳで誹謗され、悩まされた。この事件では22歳の飲食店従業員が侮辱罪で在宅起訴されているが、ネット上の誹謗中傷に対しては面倒な手続きや弁護士費用が必要となることから「泣き寝入り」する人々も少なくない。侮辱罪の厳罰化も「表現の自由」への制約につながりかねないとの声も上がる。激変するデジタル時代のスピードに法律が追いついていかない状況は続く。

■「4月1日から東京もロックダウン」……政府高官に届いたフェイクニュース

2016年の米大統領選で勝利したドナルド・トランプ氏が繰り返したことで知られる「フェイクニュース」。フェイクニュース工場については第1章でも紹介した通りだが、欧米で深刻化する偽情報をめぐる社会問題は、日本でも広がりを見せつつある。

フェイクニュースとは、真実を装った偽りの情報を指す。従来は政治的思惑や利益誘導を狙ったものが多かったが、急速なSNSの普及によって普通の人が「発信者」となるケースが目立つようになった。意図的に騙すことを目的とせず、情報を確認しないまま「拡散」する人々も少なくない。

総務省のウェブサイトには「上手にネットと付き合おう！　～安心・安全なインターネット利用ガイド～」のページがある。そこには、フェイクニュースから身を守る術として、「他の情報と比べてみる」「情報の発信元を確かめる」「その情報はいつ頃書かれたものか確かめる」「一次情報を確かめる」などとあり、それらの情報が引用や伝聞だった場合は元になったオリジナルの情報源を探して確かめることの大切さを記載している。

デジタル時代の「情報」で注意しなければならないのは、その拡散力やスピードに加えて「フェイク」が高度化していく点にある。AI技術や機械学習の技術を悪用して偽の映像をつくり出す「ディープフェイク」も拡散されているが、それらの偽情報に対抗できる知識や経験、技術を持ち合わせている人はあまりに少ない。

総務省の調査によれば、SNSやブログなどでフェイクニュースを見かける頻度は「週1回以上」が約3割となっているものの、フェイクニュースを見極める「自信がない人」は約4割に上る。フェイクニュースに接することが多い情報源は「SNS」が全体の6割を占め、最も多かった。7割の人はフェイクニュースを「拡散したことはない」と回答したが、15％は「拡散した経験がある」と答えている。その割合は若い世代ほど高い。

新型コロナウイルス感染拡大が日本でも深刻なものとなりつつあった2020年3月下旬、権力中枢にある首相官邸で足を止めたある政府高官は、友人から送られてきたL

ＩＮＥのメッセージを見ながら笑いをこらえられなくなった。

スマホ上に映し出されたのは「4月1日、東京がロックダウン（都市封鎖）される」。重要政策のほとんどにアクセスする政府高官が知らないまま超法規的措置が飛び出すことなどあり得ない。念のためスタッフに確認したところ、すぐに偽情報であることが判明した。

驚いたのは、まもなくして複数の別の知人からも似たような情報が寄せられてきたことだった。その発信元の情報源としては「内閣情報調査室の知人」「友人のテレビ局関係者」などから聞いた、というもので、ロックダウンの偽情報はＳＮＳ上で次々と拡散されていった。

「意図的でなく、悪意がなくても偽情報を、『善意』で拡散する人は多い。間違っていることが判明しても訂正されることはなく、あたかも『真実だった』かのようにネット上には残り続ける。その威力はハンパではない」

この経験を踏まえ、政府高官は警察庁や防衛省などと連携して偽情報対策に取りかかることにした。

総務省がインターネットを利用する15〜69歳を対象に実施した「新型コロナウイルス感染症に関する情報流通調査」（2020年6月）によると、新型コロナの情報やニュースを見聞きした情報媒体は「民間放送」が71・6％でトップだった。2位は「ヤフーニュース」（62・6％）で、NHK（50・5％）を上回っている。SNSの中では「ツイッター」が22・6％と最も高い。

一方、新型コロナに関するフェイクニュース・デマの接触は4人中3人が経験しており、後に間違った情報や誤解を招く情報であると気づいた理由は、「あとからテレビ放送局の報道で知った」が33・2％だった。「あとからファクトチェック（事実確認）結果を見て知った」は3・2％にすぎない。情報が怪しいと思った場合の情報の真偽確認の経験については「真偽を調べない方が多かった」が49・1％に上っている。

フェイクニュースが社会問題化する欧米は、対策の強化に乗り出している。欧州連合（EU）や米国は2018年、フェイスブックやツイッターなどにフェイクニュース対策への協力を要請。民間レベルでもファクトチェックをする団体が登場し、AIを利用した真贋の見極めも進む。こうした団体は世界に200以上も存在するという。

我が国でも総務省が２０１８年10月に「プラットフォームサービスに関する研究会」を立ち上げ、誹謗中傷や違法・有害情報をめぐる問題などについてＳＮＳ事業者や団体からヒアリングを実施し、効果的な対策を模索する。

だが、２０２２年4月に防衛省が偽情報対策として新設した「グローバル戦略情報官」はわずか一人だ。岸信夫防衛相は「諸外国による対外発信の戦略的意図やフェイクニュースなどの影響を踏まえ、政府全体の情報業務への貢献を期待する」と述べたものの、真剣味を欠くとの声は他省庁からもあがる。

ある外務省幹部は、進まない日本の対策に不満を漏らす。

「名誉毀損や侮辱、プライバシー侵害というのは欧米では重いが、日本は軽視されている。それと同様にフェイクニュースへの危機感も薄い。ロシアによるウクライナ侵攻を見ても、有事に飛び交う偽情報への対策は急務だ。日本はデジタル時代にふさわしい体制をとらなければ、情報戦で負け続ける」

総務省は「安心・安全なインターネット利用」として、複数の情報を読み比べや情報の発信源を確かめること、情報が引用や伝聞だった場合にはオリジナル情報源を探すことの重要性を指摘している。だが、対策を講じてもフェイクニュースをつくる側の技術が更新され、また新たな対抗策を迫られる「イタチごっこ」状態にある。いつまで、どこまで、どうやって――。世界中の情報当局者が抱える悩みは尽きない。

■メンヘラを生む「人と会わない、表情が伝わらない会話」

声が聞こえづらい、表情がわからない――。「世界一マスクをしている国」といわれる日本。２０２０年からの新型コロナウイルス感染拡大で、人々の「顔」は見えなくなった。保育園や学校、スポーツ教室では子供たちとの距離感に悩まされ、身体が触れ合うコミュニケーションの制限が発達に負の影響をもたらすことを不安視する。だが、どこを探しても品切れ状態となるまで急激に広がった「マスク文化」は簡単には消えそうにない。

国は感染対策として不織布のマスク着用を推進してきた。安倍晋三政権時代には「アベノマスク」と呼ばれる布マスク２枚を配り、「マスク切れパニック」に陥る国民に安心感を与えようとしたほどだ。米国のイェール大学などが科学雑誌「サイエンス」で発表した調査結果によると、バングラデシュで２０２０年11月から半年間かけて行った調査ではマスク着用率が高い地域は新型コロナ感染者の割合が低い傾向が見られたという。

航空機や電車の中などでマスクを着用しない人は問題視され、事件に発展することも珍しくはなくなった。予防効果があることに加え、法規制がなくてもマナーを重視する国民性は日本の大きな特徴だ。市場調査を得意とする日本リサーチセンターが英国の調査会社「YouGov」社と実施した調査によると、公共の場でマスクを着用すると回答した人の割合は２０２１年４月が89％、２０２２年４月は87％で、14カ国・地域の中で最高水準にある。同じ条件で比較すると、米国は「69％↓45％」、ドイツは「71％↓52％」、フランスは「79％↓59％」と急減している。比較的高いアジア地域を見ても、香港「90％↓75％」、フィリピン「85％↓75％」などと減少傾向にあり、いまだ9割近くを維持する日本は突出していることがわかる。

本格的な夏到来を前に、国は熱中症対策の観点からマスク着用への注意を促す。「屋外では人との距離が確保できる場合や、会話をほとんど行わない場合はマスクを着用する必要はありません」「屋内では、人との距離が確保できて、かつ会話をほとんど行わない場合はマスクを着用する必要はありません」（厚生労働省）。しかし、時事通信による2022年6月の世論調査では、今後も「屋内は着用すべきだが、屋外は着用しなくてもよい」との回答が過半数を超えた一方、「屋内外とも着用すべきだ」も34・6％に上る。

暑い、むれる、息苦しい。マスクを着ける人々が感じるマイナス点はほぼ共通する。しかし、いざマスクを外してもいいと言われると、戸惑いを見せるようになった。読売新聞が2022年6月に実施した世論調査では、マスクを「できるだけ着けたくない」はわずか9％だった。「できるだけ着けたい」は41％、「必要なときだけ着けたい」も49％と高い。特に女性では「できるだけ着けたい」が5割に上る。化粧の時間が省けるとの理由から「脱マスク」への抵抗感も根強い。

東京・千代田区にあるオフィス街の一角。高層ビルの中ほどには喫煙コーナーが設けられていた。

「おつかれさまっス」「おう！」

昼時を迎えると、様々な社員証を首から垂らしたサラリーマンが集まり、たわいもない会話が交わされる。職場は違うフロア、年齢や肩書もバラバラだ。しかし、仕事場以外でのコミュニケーションが潤滑油となり、時として雑談からビジネスに役立つヒントが得られることもある。

ただ、2020年4月から改正健康増進法や東京都受動喫煙防止条例が施行され、2人以上の人が利用する屋内は原則禁煙となり、「たばこコミュニケーション」は失われていった。その一方で、オフィスに併設されたカフェや給湯室を含めた休憩スペースでのコミュニケーションは進み、無駄のように見える場と時間は人々が「リアル」を求めていることを浮き彫りにしている。

新型コロナウイルス感染拡大を機に増えたのは、テレワークだ。国は感染対策として企業に推進を求め、その実施率は急増した。東京商工リサーチによる調査では、2020年4月に緊急事態宣言が発令される直前の実施率は17・6%だったものの、2カ月後には56・4%に上昇している。東京都内のテレワーク実施率は2022年3月でも62・5%と高い。保育園や幼稚園の送迎に加え、スーパーのタイムセールに並ぶ父親の姿も見られるようになった。

だが、それと並行するように医療機関にはある相談が増加した。メンタルヘルス不調だ。国には「同僚や部下とのコミュニケーションがとりにくい」「従業員の心身の変調に気づきにくい。どうしたらいいのか」といった相談も寄せられ、2021年3月には健康相談体制の整備やコミュニケーションの活性化に向けて「テレワークの適切な導入及び実施の推進のためのガイドライン」が公表された。

家庭にいる時間は増えたものの、仕事と家庭の垣根がなくなり、「テレワークうつ」に悩まされる人は増加した。適正な人事評価の実施や長時間労働の抑制とともに、メンタルヘルス対策などの健康確保対策を求める声が高まる。

■「無駄なコミュニケーション」こそが「リアル」を支えている

「はい、かんぱ〜い！」

コロナ禍では同僚や取引先との「飲みニケーション」が減少する一方で、パソコンを前にビールジョッキを傾ける「オンライン飲み会」が見られるようになった。「子供を寝かしつけた後、自宅で飲む一杯は格別」と大手広告代理店に勤務する40代男性は友人との飲み会を楽しむ。アフターコロナへの道筋が見えにくい中、「新しい生活様式」で誕生するオンラインでのコミュニケーションは活発だ。対面での授業が当たり前だった様々な学習もオンライン化が進む。

三菱ＵＦＪリサーチ＆コンサルティングが２０２０年８〜10月に実施した調査によると、在宅勤務を経験した従業員の87・２％が今後も継続してテレワークを希望している。他の調査でも在宅勤務の満足度は高く、コロナ禍で制約される同僚や取引先との「飲みニケーション」の頻度を、感染の終息後に元に戻したいという人は少ない。

ただ、視覚と聴覚に限定されたコミュニケーションには不安も残る。

「先輩、そのままでは冷たく感じますよ。もっと柔らかいイメージにしなきゃ」

大手証券会社で働く40代女性は、まだ駆け出しの従業員からアドバイスを受けた。親しくする営業先へのメールだったが、その文面は内容のみを伝える淡々としたもので、あまりに〝無表情〟だったからだ。

経済や金融を学び、対面での「リアル営業」には自信を持っていたが、コロナ禍で営業はイマイチだ。場所を問わずオンライン上で会話できる「Ｚｏｏｍ」やメール、チャットでの交流は、実際の面会に比べ頻度を上げることは可能だ。しかし、その臨場感や距離感には課題が残り、コロナ前の「リアル対面」のようなスムーズな会話をしづらいとの声は少なくない。

「人付き合いが少なくなり、情報収集の機会は一気に減った。どう接していけばいいのかわからなくなった」

かつてのマニュアル通りにいかない現状に不安は隠せない。

文化庁が２０２1年3月、コロナ禍のコミュニケーションへの影響を調査したところ、オンライン通話などで気をつけていることは「自分が話すタイミング」が58・４％と最も多かった。マスクを着用している際に話し方や態度が変わる人は６割を超え、「相手の表情や反応に気をつける」も４割に上る。

デジタル時代に進む効率化で「無駄」は省かれる一方だ。コミュニケーションの変化に人々は対応し、テレワークに居心地のよさを感じる人もいる。だが、「顔が見えない時代」だからこそ、「リアル」の重要性は増す。デジタル時代を生き抜くためには、無駄なコミュニケーションこそが重要といえるかもしれない。

■プログラミング教室に通うほどに言葉を失っていく子供たち

デジタル時代を生きる今日、私たちの生活はかつてのものとは一変した。あらゆるものにデジタル技術が用いられ、それらと無縁に過ごすことは難しい時代になったのである。電車やバスの中に入れば、座席に座っている人も、つり革にぶら下がっている人も、片手に持っているのはスマホだ。

レストランに友達と訪れた人は会話をかわしながらスマホを操作し、スーパーでは主婦がスマホでデジタル広告を眺めながら特売品をチェックする。今やスマホを使い倒した人ほど「デジタル時代の勝者」といえるようになった。しかし、新時代を担う子供たちがスムーズに順応していく一方で、悩みを抱える親は多い。

デジタルは使い倒せば「勝者」になれるが、適応できなければ「敗者」にもなり得る。それはアメーバのように形を変えていく「モンスター」でもあるのだ。

知りたい情報を一瞬で検索でき、友人らと気軽に交流ができるスマホ。その所有率は、多くの世代で増加傾向にある。総務省の調査によると、世帯におけるスマホの保有割合は２０１０年に1割弱だったものの、２０２０年には9割近くに達している。インターネットの利用率はパソコンやタブレット端末と比べてもスマホが68・３％と圧倒的に高く、個人の所有率は若年層で9割近くに上る。もはや、人々の生活と一体化した「切れない関係」にある。

だが、子供を持つ親の心境は複雑だ。デジタル時代に適応できる大人に育ってほしいと願う一方で、「依存症」や「トラブル」への不安は尽きない。

２０２２年3月、東京・武蔵野市のプログラミング教室。マサチューセッツ工科大学（ＭＩＴ）などが開発した「Scratch」教材で学ぶ小学３年生の長男の姿に、迎えに訪れた30代の母親は目を細めていた。

２０２０年度から小学校でプログラミング教育が必修化され、文部科学省は情報活用能力を重視するようになった。「将来、子供が困らないように」と入室を即決してから半年あまり、長男の生活は激変した。

「ママ、ちょっと調べたいからスマホを貸して！」

当初、教室でやり残した課題は自宅のパソコンで行っていただけだったが、今度は他人の作品を参考にしたいからとスマホを求めてくるようになった。初めのうちは「ちょっとだけなら……」と言われる通りに貸していた。それが1時間、2時間、3時間と増える。食事中も会話中も、そして寝る直前まで続く。

子供の将来を考えて通い始めたプログラミング教室だったが、「これでは何か違う」。動画の視聴時間が増え、徐々に親子間の会話も減ってきたことを感じた母親は、ついに嫌がる長男を振り切って退室を決めた。

もちろん、これを「特殊なケース」と見ることはできる。プログラミング教室に通う子供すべてに当てはまるわけでもない。熱心に通い続けていれば、「天才大臣」といわれた台湾のデジタル担当相、オードリー・タン氏のように耳目を集める存在になっていたかもしれない。だが、デジタル時代が到来したからこそ生じるリアルな問題に悩む親は多い。

東京都が2021年4月に発表した「家庭における青少年のスマートフォン等の利用等に関する調査」の結果を見てもらいたい。都内の小中高生の保護者を対象に実施した調査で注目すべきは、スマホ所有者の低年齢化だ。

所有率は全体で58・１％（前年度比２・７ポイント増）に過ぎないが、中学生は79・８％（同４・４ポイント増）、高校生は95・６％（同３・２ポイント増）となっている。中学生の８割近くが持っていることを見れば、スマホを持っていない生徒の方が「レアキャラ」のような感覚を抱くかもしれない。９割を超える高校生では「えっ、持ってないの？」といった声と戦うこともあり得る数字である。

■「こち亀」が予測していた未来型小学生が「普通の光景」に

思春期の小学校高学年は34・４％（同０・２ポイント減）で、中学生から急上昇していることがわかる。だが、驚くのは、小学校低学年でも22・４％（同３・４ポイント増）がスマホを所持していることだ。防犯ブザー機能やGPS機能がついている「キッズ携帯」を子供に持たせ、安否確認する親は少なくない。しかし、この数字はスマホに限ったものだ。

シンプルな機能のみが利用できる「ガラケー」（フィーチャーフォン）でも安否確認は可能だが、キッズ用のスマホとなれば通常と同様の「Android」が搭載されている。

不適切なウェブサイトを閲覧できなくするフィルタリング機能や使用時間の制限、アプリのダウンロード制限といった設定はできるものの、ネット上には「フィルタリングを突破する方法」など無効化する方法を扱う動画もあふれている。

人気マンガ『こちら葛飾区亀有公園前派出所』（秋本治／集英社）には、約30年前、今日の小学生の姿を予見したようなキャタクターが登場している。時代の最先端をいくハイテク機器が詰まったランドセルを背負い、携帯電話やタブレット端末を使いこなす「ハイパー小学生・電極＋（プラス）」である。

昼ご飯にはサプリメントと栄養剤を飲み、授業はビデオカメラで撮影。テストも5キロあるランドセル内の機器を用いて送受信している。令和の時代、教科書や学習道具の重みから心身の不調を訴える「ランドセル症候群」が問題視されているが、このキャラクターが機器を使いこなす光景は今の子供たちの姿とあまり変わらない。

子供の親はデジタル時代ゆえのトラブルを心配する。しかし、「子は親の背中を見て育つ」と言うまでもなく、親自身がデジタル化への「英才教育」をしているケースも目立つ。子供服メーカーのミキハウスが２０１５年に実施した「子どものスマホ利用に関する調査」は、現実の光景として突き刺さる。生後６カ月から３歳までの子を持つ親の６割が子供にスマホやタブレット端末を使わせ、その頻度は「毎日」が３割を超えているのだ。

１歳未満から約２割が使用させており、「どんなときに使わせているか」との設問では「外出先で子どもの機嫌が悪く、静かにさせたいとき」が18・７％でトップだった。親としては他人に迷惑をかけないようにしているのだろうが、電車やバスの中で動画を見ている子供は多い。

幼い時からスマホやタブレット端末に触れ、小学生にスマホを持たせている親の約２割は「小学１年生」でデビューさせている。学校では敷地内に持ち込まない、通話やメールは禁止といったルールを決めているところもあるが、国がＩＣＴ教育を推進する中でどこまでデジタル機器の使用を制限すべきなのか教育現場の苦悩は続く。

「お子さんは、スマホ依存症の可能性がありますね」。２０２１年６月、東京都内の私立中学校で担任と向き合った40代の母親はこう告げられた。やっとの思いで中学受験に成功し、その褒美《ほうび》として娘にプレゼントしたスマホ。「21時以降は使用しない」「ＳＮＳ

で誹謗中傷はしない」などと家族で決めたものの、自分の部屋にこもることが多くなった娘が守っている確証はなかった。

中学校に持っていくことは許可されているが、敷地内での使用は禁止。登校した後はロッカーに入れておかなければならないルールがあった。しかし、休み時間や昼食時にスマホを取り出し、クラスメートと動画や写真を見て楽しむ。規則を破り、担任にスマホを一時的に取り上げられたのは3カ月間で3回目だ。

「スマホ依存症」という言葉に恐怖を抱いた母親は帰宅後、抵抗する娘からスマホを奪い取った。ルール破りの他にも心配すべき変化が見られていたからだ。それは「朝、娘がなかなか起きない」というものだった。

スマホ依存が生活習慣の乱れを引き起こし、脳の健全な発達を阻むことに専門家は警鐘を鳴らしてきた。夜遅い時間まで動画視聴やゲーム、友達とのSNSを続けていると睡眠不足に陥り、昼夜が逆転してしまう例は多発している。睡眠不足は集中力や意欲低下をもたらし、疲労の回復も遅れる。悪化すれば、記憶力の低下や不登校につながるケースもある。これは子供に限った問題ではなく、社会人になっても遅刻や欠勤という形で表れてくるものだ。

高校生の約9割、中学生の約8割は「コミュニケーション目的」でスマホを所有しているが、最初は連絡手段の一つとして始めたつもりのSNSが、いつの間にか「切り離せない」ものに変わり、睡眠障害の形で顕在化する。目覚ましをかけても自分では起きられず、遅刻しがちだった娘はスマホを失ってから3カ月後、毎朝決まった時間に起床できるようになった。徒歩3分で着く近所の公立中学校に転校する直前だった。

スマホ使用をめぐる親の悩みとしては、「長時間利用やスマホ依存」が最も多い。「あと、ちょっとだから……」との声に押されて許可したものの、就寝時間を超えても利用が続き、子供からスマホを取り上げた経験を持つ親は多いだろう。その結果、親子関係が一時的にでもギクシャクしたことがあるはずだ。

長時間利用やスマホ依存以外にも問題は見られる。スマホを所有する小学生の約7割は「LINE」を利用しているといわれている。「ツイッター」「フェイスブック」「インスタグラム」「TikTok」を1割が利用している。これらの利用はただちに問題はないかもしれない。ただ、SNSを通じて「知らない人」とやりとりをする子供は多い。「音声通話、ビデオ通話をした」は小学校低学年が最も多く44・3％。「顔や身体の写真・動画の送受信をした」という経験も24・3％に上る。

加えて、スマホの利用時間は学業成績と関係があるとの調査研究も見られるようになった。宮城県仙台市が小中学校で実施した調査（2018年）によると、1日あたりのスマホ使用時間が「1時間以上」の子供は家庭での学習時間が多くなっても成績の伸びは不十分で、最大でも偏差値（全教科平均）は50前後にとどまる。これに対し、スマホ使用時間が「1時間未満」の子供たちは「家庭での学習時間が30分未満」であっても偏差値50を超える生徒が多かったという。ちなみに、睡眠時間が短い子供たちはスマホ使用時間や勉強時間にかかわらず、成績が低くなっている。

長時間利用やスマホ依存、睡眠不足、学業成績への影響、視力の低下……。急速に進むデジタル時代にどう向き合い、どのように子供に与えるべきなのか。デジタル時代に親のジレンマは続く。

■10年後、世の中の「49％の職業」は、ＡＩに取って代わられる

デジタル時代に求められる重要な能力には「読解力」があげられる。しかしながら、その根幹部分は危機に瀕している。日本人の読解力が今、ピンチを迎えているというのだ。新井紀子氏が著した『ＡＩ ＶＳ 教科書が読めない子どもたち』（東洋経済新報社）は、その点をズバリと描き出している。

「日本の中高生の読解力は危機的と言ってよい状況にあります。その多くは中学校の教科書の記述を正確に読み取ることができていません」

新井氏の指摘に驚く人は少なくないだろう。学校の授業で日常的に使用し、定期テストでも学習状況を確認しているはずの教科書の記述が「正確に読み取ることができていない」というのだ。

これは何を意味するのか。新井氏は日本人の読解力についての調査を実施した結果、次のことが浮き彫りになったという。それは、日本人の弱点を率直に言い当てたものでもある。

「日本の中高生の多くは、詰め込み教育の成果で英語の単語や世界史の年表、数学の計算などの表層的な知識は豊富かもしれませんが、中学校の歴史や理科の教科書程度の文章を正確に理解できないということがわかったのです。これは、とてもとても深刻な事態です」

つまり、英単語や歴史年表などの「暗記モノ」を覚えることは得意であるものの、文章理解は不得意であるというのだ。新井氏が警鐘を鳴らす詰め込み教育の「成果」は、デジタル時代には「弊害」となり得る。なぜならば、単語や年表を覚えたり、数学の計算をしたりするというのは、いずれもＡＩの得意分野である。もっと言えば、人間に代替し得るものばかりと言えるからだ。

野村総合研究所と英オックスフォード大の推計（２０１５年）によれば、10～20年後には日本の労働人口の49％が就いている職業は、ＡＩによって代替可能になるとされる。言い換えれば、技術的には「なくなる仕事」となる可能性が高い。事務員や受付係、タクシーやバスの運転手、検針員や測量士といった秩序的・体系的な動きが求められる職業や、特別な知識・スキルが求められない職業は近い将来にＡＩで代替し得る。

逆に、協調や理解、説得やネゴシエーションといった他者との関係性が高い職業に加えて、サービス志向性が求められる職業もＡＩでの代替は難しい傾向にある。創造性が必要な業務や非定型な業務は将来においても人間が担う可能性が高いものだ。これは、ＡＩがいかに進化しても人間との「すみ分け」は可能であることを意味しているが、これからのデジタル時代を担う日本の中高生の多くが目指すであろう職業は、ＡＩの得意分野とバッティングしていく。人間が伸ばしていくべき分野を苦手にしてしまっているのだ。

２０２２年６月、東京都内の大手進学塾に通う中学２年生の親がオンライン上で担当講師と向き合った。息子の高校受験での志望先は最難関の私立高校で、塾の最上位クラスで学んでいる。講師は保護者面談の冒頭、毎月の学習状況を確認する定期テストの結果に触れて「英語の点数は申し分ない。数学も少し頑張れば十分合格圏内に入る。しかし、国語はかなり力を入れなければ難しいと言えます」と厳しい表情を見せた。

学校での成績は上位にある。息子はもちろん、親も国語の点数はそれほど重視してこなかった。その理由は「英語の長文読解は十分にできている。日本人なんだから、日本語の問題なんて、ちょっと勉強すれば点数がすぐに上がる」と高をくっていたためだ。国公立も視野に入れると、今まで以上に理科や社会の学習も必要になる。それを考えれば、とてもではないが国語に時間を割くことはできない。進学塾で配られる漢字プリントや読解問題だけに頼る時間が続いた。

「インターネットでニュースをチェックしているし、ブログもたくさん読んでいる。学校や塾でも国語は学んでいる。やる気になれば、国語はいつでもできる」。そのように考えてから半年あまりが経過した。だが、漢字や四字熟語、ことわざといった覚えさえすれば解ける問題は得意になっても、長文読解で主人公の心境や意図などを問う設問では点数を上げることができなかった。受験本番まで約1年半、親子の焦りは増すばかりだ。

■AIに負けない「デジタル勝者」を育てるために必要なこと

ここで一つの調査をご覧いただきたい。経済協力開発機構（OECD）が義務教育修了段階の15歳を対象に2000年から原則3年ごとに実施している「学習到達度調査」だ。注目すべき点は、やはり「読解力」の問題である。

２０１８年の調査で、日本は加盟37カ国のうち「数学的リテラシー」の平均得点で１位、「科学的リテラシー」も2位と世界トップレベルだった。しかし、「読解力」は異なる。平均得点は前回の２０１５年調査から低下し、加盟国中11位にとどまった。テキストから情報を探し出す問題や、自分の考えを他者に伝わるように根拠を示して説明することに課題があることがわかる。

とりわけ、「情報を探し出す」力や「評価し、熟考する」力の平均得点は低下傾向にあり、２０１８年調査から追加された「矛盾を見つけて対処する」問題の正答率も低かった。総じて言えることは、「活用」する能力に課題があるということだ。これは、新井氏が指摘している暗記することは得意であるものの、ＡＩも不得意とする「非定型」の文章理解は苦手であるという部分と共通する。

つまり、大量の情報と接するデジタル時代の日本の子供たちは、情報を次から次へ「処理」しているように見えるものの、そこから評価したり、熟考したり、矛盾を見つけて対処したりといった「活用」に問題がある。いずれも読解力の根幹をなす部分であり、フェイクニュースや不要なトラブルに巻き込まれないために必要な部分である。

では、どうすればいいのだろうか。新井氏は著書の中で「重要なのは中学卒業までに中学校のどの科目の教科書も読むことができ、その内容がはっきりとイメージできるようなリアリティのある子どもに育てることです」と指摘している。イメージできるということは、ＡＩが苦手とするクリエイティブとも重なる。それを中学卒業までに養っていくことが重要であるというのだ。

あえて触れるまでもなく、日本の「学歴社会」は続いている。幼稚園のお受験から始まり、エスカレーター式の一貫校を除けば小学校や中学、高校でそれぞれ入学試験を突破しなければならない。そして、学歴社会において最も重視される大学受験に挑戦することになる。だが、たとえ幼い時から関門を突破してきた強者であっても、「デジタル時代の勝者」となるために必要な読解力を身につけられているわけではない。いくら点数や通知表の評価がよくても、それとは別の尺度が必要になっているのだ。

文部科学省は中央教育審議会の答申に基づき、「実生活で生きてはたらき、各教科等の学習の基本ともなる国語の能力を身に付けること」を重視し、国語の授業改善を進めてきた。「考えを書く」「話し合う」といった活動は、生徒が自ら考えて課題を解決していくために必要なものだろう。英語の４技能教育やプログラミング教育など新しい分野でも試行錯誤は続く。

しかし、その改善スピードはＯＥＣＤの学習到達度調査を持ち出すまでもなく、デジタル化の荒波を前に遅すぎると言わざるを得ない。ましてや、ＡＩが得意とする分野で同じ土俵に乗ることとは、人間だからこそ持てる想像や創造、コミュニケーション、非定型といった分野で力を伸ばせないことにつながる。

デジタル時代に生きるために教育で最も身につけるべきものは、読解力である。その重要性はデジタル化の加速と比例し、どんどん増している。

■イーロン・マスクとツイッター社員の激突から学ぶこと

米電気自動車大手「テスラ」のイーロン・マスクＣＥＯによる米ツイッター社の買収劇は、偽アカウントの割合をめぐる意見の対立から膠着状態になっている。今後の行方は不確定要素が大きいが、マスク氏はツイッター社を買収していれば、世界で最も影響力のあるリーダーが使用する「コミュニケーション・メディア」を掌握することになっていただろう。

マスク氏はテスラの従業員らに対し、「少なくとも週40時間オフィスにいなければ、テスラを辞めなければいけない」などと求めたことが、従業員らによるツイッターへの投稿や米メディアの報道で明らかになっている。

マスク氏ははっきりとリモートワークへの否定的な姿勢を見せているが、新型コロナウイルスの感染拡大が落ち着きを見せる中、これからも在宅勤務を続けようかどうかと悩んでいる日本企業は多いはずだ。

マスク氏が以前、テスラ社の幹部に送った「リモートワークはもう受け付けません」という件名のメール全文をまずは紹介しよう。

「件名：リモートワークはもう受け付けません
本文：リモートワークを希望される方は、最低でも週40時間オフィスにいるか、テスラを旅立つ必要があります。これは、私たちが工場労働者に求めるよりも少ない時間です。

これが不可能な、例外的な貢献者がいる場合は、私が直接その例外を検討し、承認します。さらに『オフィス』はテスラのメインオフィスでなければならず、例えば、フレモント工場のスタッフ管理の責任者でありながら、オフィスが他の州にあるなど職務と関係のない遠隔地の支社であってはなりません。

Thanks, イーロン」

このメールに反発するテスラの従業員たちには「どこか（別の場所）で働いているふりをするべきだ」と冷たく言い放っている。さらに別のメールでは「あなたがより地位が高いほど、あなたの存在は可視化されるべきだ。だからこそ、私もずっと工場に住んでいた」とし、「そうしていなければ、テスラはずっと前に破綻していた」と述べている。

新型コロナウイルスが大流行した当時も、一時避難の命令を拒否。新型コロナを避けるため、「無給休暇」を選択した2人のテスラ従業員は解雇通知を受け取った。それほど「出社」を徹底している。

このようなマスク氏のリモートワークに関する強硬な方針は、米国の重要なソーシャルメディア企業の職場文化とは真逆のものといえる。例えばツイッター社はコロナ禍でいち早くリモートワークを進め、「永久在宅勤務」を認める方針を打ち出している。同社は従業員が自宅やオフィス、外出先から定期的に仕事をする柔軟な職場として知られている。他の大手ＩＴ企業フェイスブック（Ｍｅｔａ）、Ａｍａｚｏｎなどは希望する従業員の在宅勤務継続を無期限に認めており、Ａｐｐｌｅも労働者が少なくとも週３日以上出勤するという条件を停止した。

マスク氏は現場のハレーションを意に介さず、自分が合理的と考えれば突き進んできた。テスラ社においては、しばしばチームと相談することなく新機能を発表し、技術的な現実と自分の夢との間にある大きなギャップを埋めることを従業員に強いてきたのだ。

その結果、職場は機能不全に陥り、悲惨な結果を招いてしまうこともあったという。２０１６年、マスク氏は人手を一切必要としない完全自動化工場の開発を公言したが、結局、断念することになった。工場敷地内の野外テントの中で、手作業が多い生産ラインをコツコツとつくり上げた。その後、自分の失敗であるはずの無人工場のエピソードは、マスク氏の脳内では「テスラの工場で寝泊まりした」という伝説に変換されてしまっている。

米国のニューヨーク・タイムズからは「テスラで10年間働き続けることは稀なことであり、４年間の株式給付期間が終わる前に才能が枯渇し、追い出されることはよくあることだ。このような厳しい環境は、女性や人種的マイノリティにとって、より顕著なものとなっている」と指摘されている。

果たして、マスク氏の「合理性」は米国社会に根付くのだろうか。

■リモートワークは合理的か？　ＭＩＴ驚きの調査結果

ここで、一つだけ素朴な疑問がある。それは実際のところ、リモートワークは合理的なのものなのか否かだ。マサチューセッツ工科大学（ＭＩＴ）などが共同で実施した「Mining Face-to-Face Interaction Networks Using Sociometric Badges: Predicting Productivity in an IT Configuration Task」という調査が興味深い結果を示している。

あるＩＴ企業がシステムに関する顧客からの問い合わせに対して、見積もり提案を行う営業活動を調べた。問い合わせは１人で即答できる単純なものから、話し合いが必要な複雑なものまで様々。その部署には30人の社員がいて、それぞれにウェアラブル端末を装着してもらい、対面した相手と時間、回数を計測。コミュニケーションの度合いを測ったものだ。その結果、判明したのは次の通りだ。

・結束力のあるネットワークでは、スタッフ同士が互いに信頼しやすい。情報伝達が行われやすい。
・情報伝達には情報源の協力が必要であるため、情報源にその伝達が自分たちに悪影響を与えないことを納得させることが重要である。信頼がなければ、情報源は単に受信者に情報を渡すことを拒否するかもしれない。メッセージでは協力を得られにくい。
・同僚から、より多くの情報、アドバイス、暗黙のガイダンスを必要とする複雑なタスクでは、スタッフ同士の距離が近いほうがプロジェクトの完了を早めるのに役立つ。
・ただし、単純なタスクにとっては、同僚からの会話の割り込みで作業が中断されるデメリットが大きく、結束力が強いことは成果にとってマイナスに働いてしまう。
・対面ネットワークと物理的近接ネットワークを比較すると、物理的近接ネットワークの係数のほとんどが重要ではないことがわかり、対面での会話が物理的近接だけよりも重要であることが示された。
これらは論文から引用したものなので、より簡単な言葉で言い換えてみよう。

1．複雑な仕事をしている場合は、スタッフ同士の距離が近い方がいい。
2．物理的に距離が近いというよりも、心理的な距離が近い（会話が常にできる）状態にしておくこと。
3．単純作業の場合は、一人ひとりを遮断した方がいい。

ということだ。在宅勤務が合理的なものになるのかどうかは、この調査からはケース・バイ・ケースの模様だ。

会議中だけではなく、常にネットワークを切らずに動画中継をして話ができるような環境を整えれば、調査の示す「近い距離感」を保てるのかもしれない。何より、ツイッター社のタスクと上記の条件を照らし合わせた時、どうするのが最も合理的かということがプロジェクトの成否を分けるということだろう。

デジタルか否か、の二元論ではなく、場合によって柔軟に対応し、「リアルでの能力を向上させるために」「デジタルを使いこなす」ことが求められる。

コラム

「デジタル図書館」は、日本の出版文化を変えるか

○ビジネスマンこそ「図書館を使い倒せ」！

デジタル時代は情報がアメーバのように形を変えていく「モンスター」であると言ってきた。それを使い倒せば、「勝者」になることができる。しかし、時代に翻弄されてしまえば「敗者」にもなり得る。

これまで紹介したものだけを捉えれば、こうした時代は「怖い」と思ってしまうかもしれない。ここではデジタル時代の「すごさ」に注目していくとしよう。否が応でも訪れているデジタル時代の「勝者」となるためには、その力を十二分に理解し、それを「使い倒す」ことが欠かせないからだ。「デジタル時代の図書館の使い方」から紹介していく。

「図書館を使い倒す！」などと言えば、受験生や学生向けの話なのかと考えてしま

う人は多いだろう。だが、さにあらず。実際には、ほとんど図書館に足を運んではいなくても、「図書館を使い倒す」ことは可能だ。これは雑誌の編集部でも同じことをしている。東京・千代田区には国会図書館や日比谷図書館がある。何かを調べる際、「図書館」は非常に重要な役割を果たすのだが、必ずしも図書館に「行く」必要はないのである。

まず、多忙なビジネスパーソンにも、学校や習い事で忙しい学生・生徒にもぜひ使ってもらいたいのは、図書館の「調べもの相談（レファレンス）」だ。東京都立図書館のＨＰ（https://www.library.metro.tokyo.lg.jp/search/service/reference/）には、こうある。

「調べたいことや探している資料などのご質問について、必要な資料・情報をご案内します。図書館におけるこのようなサービスを『レファレンス』といいます。来館によるお申込みのほか、電話やメール、手紙でもお受けしています。ぜひ、お気軽にご相談ください」

プレゼン資料や企画の資料、論文を書く際、どうしても調べておきたいことがあってもネットの検索で出てこない時が多々あるだろう。そんな時は、図書館に相談するといい。電話の方が手っ取り早いが、メールであれば時間や相手を気にせず、相談できる。

実際、このような使い方をしたことがある。「経済人、社長、起業家、実業家が刊行した全集の歴史を調べたいと考えています。いいお知恵を拝借できないでしょうか。例えば、実業家の渋沢栄一氏が1930年に全集を刊行しています。他にも全集を刊行している方はいれば教えてください」。相談をしたところ、1週間程度で非常に丁寧で、かつ具体的な回答をもらった。

「『WHOPLUS』という人物情報の検索サービスがあり、これは都立図書館にご来館いただければご利用になれます。検索画面で『実業家』『全集』でキーワード検索すると、9件ヒットします。また『社長』と『全集』で検索すると、53件ヒットします。よろしければ、ご来館の上、お試しください」

「日本の学術論文情報を総合的に検索することができる「CiNii Reserch」(https://ci.nii.ac.jp/)というデータベースがあります。こちらはご自宅からも検索することができます。キーワードを「経済　個人全集」で検索すると、「わが国における経済学関係の個人全集について」という論文がヒットします。[機関リポジトリ]をクリックすると、京都大学学術情報リポジトリが開きます。

開いたページで［ade_5_1.pdf］をクリックすると、この論文をご覧になれます。

この論文は『経済資料研究 No.5』（1972年6月）の1～11頁に収録されています。

『経済資料研究 No.5』は、都立多摩図書館でも所蔵しています。参考にはなるかと思いますが、この論文は主に経済学の研究者の全集について述べているものです」

長いので回答の一部を紹介したが、さらに「全集」のガイド本の紹介までしてくれた。至れり尽くせりのサービスなのだ。

東京都民、東京在勤の人でなくても、他の自治体の図書館で似たようなサービスを行なっているので、ぜひ活用していただきたい。もちろん、無料だ。

○借りられるのは「図書」だけじゃない！

研究や仕事ではない、余暇の場所としても図書館は楽しい。もちろん、本を借りるのもいいが、ここで紹介するのは「音源」の貸し出しだ。

「国立国会図書館　歴史的音源〈れきおん〉」には、1900～1950年ごろのSP盤などの「デジタル化音源」が無料でインターネット上に公開されている。当該ホームページ（https://rekion.dl.ndl.go.jp/）へアクセスし、聴きたい音源を検索すればいい。音源の提供が開始される１９００年は、明治33年。日清戦争が終わった後、第1次大隈重信内閣が発足した直後である。明治35年には日英同盟が結ばれ、日露戦争へとなだれ込んでいく。音源の提供が終わる１９５０年は、朝鮮戦争が勃発した年だ。

　当時の日本は第2次世界大戦に敗れ、ＧＨＱの支配を受けていた。音源は、その当時のものなので、市販されていた音源とはいえ、そんな時代背景を映し出している。「れきおん」で演説の項目を検索すると、軍国的な音源がたくさんある。

例えば、
・日本の軍人は何故強いか　少年に与える訓話（海軍大将）加藤寛治
・三国同盟調印より帰りて　松岡洋右
・山本元帥の挨拶（一）（ロンドンよりの国際放送より）山本五十六
などがある。他に日本の憲政史に名を残した人の肉声も聞ける。
・演説：普通選挙について　尾崎行雄
・憲政ニ於ケル輿論ノ勢力（侯爵）大隈重信

日本の近現代史に興味がある人にはたまらないだろう。そういった歴史的価値のある音源もよいが、落語や講談、歌舞伎などの音源を移動中や散歩中に聴くのもオススメしている。落語・漫才・浪曲・講談というジャンルでは、438件のインターネット公開資料がある。歌舞伎は110件だ。
・落語：スピード成金　柳家権太楼
・落語：からし医者　桂春団治
・落語：豚カツ　林家正蔵
・浪花節：赤垣源蔵徳利の別れ（初代）桃中軒雲右エ門
・浪花節：俊寛　酒井雲
・講談：暗闇の瓦松　神田伯龍
・朗読：ハムレット（生死疑問独白の場）脚本　坪内逍遥
・歌舞伎：白浪五人男（勢揃いの場）松本幸四郎ほか
・歌舞伎：河内山宗俊　中村吉右衛門ほか
ただ、重要な仕事や勉強をしている時に聴き始めると、全く仕事が手につかなくなるのでご注意を。さて、国会図書館では保有する「デジタル化資料」のうち、一部をインターネット経由で閲覧できる「個人向けデジタル化資料送信サービス」を開始している。サービスの対象となるのは、同館が保有する「国立国会図書館デジタルコレクション」のうち、絶版などの理由で入手が困難であることが確認された約153万点だ。

とはいえ、歴史的資料価値は高いものの、研究者でもない限り、ビジネス向けに使い倒すのはまだ難しい。素敵な錦絵、絵本が数多く無料で公開されているので、気に入ったものをスマホの壁紙にするといった使い方はいいだろう。

正直に言えば、図書館で本を借りるメリットがあまりなくなってきていると感じる。紙の本は書き込みができない上、期限内に返却しなくてはならない煩わしさもあるからだ。コーヒーをこぼしてしまうこともあるし、手についた醤油がついてしまうこともある。しかし、図書館は「自習室」代わりにはできるし、今回紹介したような便利なサービスも多々ある。

ただ、文章を書く身としては、図書館にある「新聞の縮尺版」は本当に役に立っている。当時の広告なども載っているからで、執筆対象を研究する上で、当時の状況はデジタルの文字だけではわからないことが多いからだ。

第４章

ＤＸ時代の読解力の鍛え方

――デジタル化で起きる大変革。そうした激動の時代を乗りこなすために最も必要なのが読解力だ。紙の雑誌が減り、スマホやタブレットで文字を読むことで起きる読解力の低下をどう克服するか。記者までＡＩ化が不可避なメディアの未来を考える。

■ＡＩ vs 人間！　どの要素ならＡＩに勝てるのか

デジタル時代に対応する「ＩＴ人材」の養成は、時代の要請である。しかし、それは必ずしもエンジニアを意味しない。デジタル化に適応する人材、すなわち高速かつ大量に駆け巡る情報の中から価値を見出し、自らの能力を向上させることを可能にする人を養成することも時代の要請なのである。

デジタル化に適応できる人とはどんな人なのか。それは情報を「捌く」ことのできる人を意味する。学校では文部科学省によるプログラミング教育が盛んで、たしかにＩＴ人材の養成に向けた初めの一歩となるかもしれない。しかし、現状のままでは情報を「捌く」ことまで学ぶことはできない。なぜならば、教育現場では「デジタルの使い倒し方」を教えてくれないからだ。

それは家庭科の授業で言えば、裁縫で「針の穴に糸を通した」というレベルで終わってしまっていることになる。

では、デジタルを使い倒すために必要な情報の「捌き方」はどのように養っていくことができるのか。そして、それはどのようなものなのか。そのヒントになるのはやはり「ＡＩ」である。

前章でも触れた通り、20年後には「日本の労働人口の49％が人工知能やロボット等で代替可能」になる、と言われる時代だ。

では逆に、代替可能性が低い「51％のなくならない仕事」はどのようなものか。野村総研は、医療ソーシャルワーカーや教員、コンサルタントやカウンセラー、クリエイターといった職業をあげる。「創造性、協調性が必要な業務や、非定型な業務は、将来においても人が担う」としており、０から1を生み出すクリエイティブな業務や他者とのコミュニケーションを活かすことが欠かせない業務はＡＩに不向きであることがわかる。

結論を先に言えば、将来においても人間が担う職業、つまり「人間にしかできない仕事」に必要な能力こそが、デジタル時代に求められる「デジタルを使い倒す」力であり、情報を「掴く」力につながる。

先にも引いた『ＡＩ ＶＳ 教科書が読めない子どもたち』（東洋経済新報社）を著した新井紀子氏は、その中で「ＡＩの弱点は、１万個教えられてようやく1を学ぶこと、応用が利かないこと、柔軟性がないこと、決められた（限定された）フレーム（枠組み）の中でしか計算処理ができないことなどです」と指摘している。逆から見れば、ＡＩでは難しい能力を人間は大切に育てていかなければならないということだろう。

ＡＩによる代替可能性が低い「なくならない仕事」、つまり「相手との意思疎通・やりとりが重要な仕事」「ゼロから生み出す仕事」の中には、記者・ライターも含まれている。その理由は何なのか。

２０１７年2月3日、『日経ビジネス』が面白い記事を掲載した。題して「ＡＩ記者に生身の記者が勝負を挑んでみた」。同年1月に日経新聞紙上でデビューした「ＡＩ記者」と、人間の男性記者が「業績原稿」の執筆で勝負したとの内容である。記事の材料は企業決算を記した決算短信のみ、という設定だった。

3本勝負は、1勝1敗1引き分け。ＡＩ記者が1日70本の記事を書いたのに対し、人間の男性記者は３本。そのスピードと正確性、単純な分量では歯が立たなかったことを明らかにしている。「ＡＩに負けているのに、なぜ『なくならない』のか」と思うかもしれない。正確に言えば、たしかに一定の定型がある原稿執筆においてはスピードも正確性も量もＡＩに勝てない。この勝負にあるように、企業決算から業績原稿を書くというパターン化された記事の執筆では勝負にならないのである。

しかし、「定型」のない記事を執筆する場合はどうだろう。取材段階から生まれる「意思疎通・やりとり」に加え、執筆・掲載段階で生じるニュースの価値判断といった情報の「捌き方」は、ＡＩに不向きなのは先に示した通りだ。『日経ビジネス』の試みでも、業績分析を含む記事では生身の記者に軍配が上がった。

業績原稿やスポーツの結果速報など定型化しやすい記事はＡＩが勝るが、論説記事やコラム、特集記事などはＡＩで埋め尽くすことはできない。歴史認識や評価が二分するテーマに加え、どの記事を１面で大々的に報じるのかというニュースの価値判断も難しいだろう。

ましてや、闇に埋もれた事実を明らかにする「調査報道」は期待できない。新聞では

「旧石器時代遺跡捏造発掘事件」（毎日新聞）や「ＬＩＮＥの個人情報管理問題」（朝日新聞）などをめぐるスクープが有名だが、これらは膨大な情報の中から一つひとつを確認していく作業を積み重ねる「非定型」の仕事となる。

情報は、誰でもアクセスできる公開情報であれ、秘匿された情報であれ、どのように扱うのかによって「価値」が大きく変わる。単に読み流せばいいだけの情報かもしれないし、実は大変貴重な情報かもしれない。その「捌き方」には、絶対にこれが正しいというものもない。だからこそ、ＡＩでは代替できない能力になるのだ。そして、これこそがデジタル時代に求められる能力といえる。

■「アナログを許してくれない」世界レベルでの教育環境

「これは富士山をイメージしました。三角形を重ね合わせ、太陽や雲は円を用いて表現しています」

２０２０年10月、首都圏にある中学校での「技術」の授業風景だ。モニター上に映し出された生徒の作品に担当教員は論評を続ける。「この部分は、もう少しカラーを使った方がよりよかった」。情報活用能力に重きを置く文部科学省は、プログラミングに加えて、情報収集や表現、伝達などといったデジタル時代に対応する能力向上を掲げる。デジタル化とともに進むＩＣＴ教育である。

ＩＣＴは「Information and Communication Technology」の略で、情報通信技術を活用した教育を指す。１９９８年の学習指導要領改訂では、小・中・高等学校の各教科や総合的な学習の時間において「コンピュータや情報通信ネットワークの積極的な活用を図る」とされ、情報教育の充実が図られることになった。

その重要性については、２００８年1月の中央教育審議会の答申で「情報活用能力をはぐくむことは、基礎的・基本的な知識・技能の確実な定着とともに、発表、記録、要約、報告といった知識・技能を活用して行う言語活動の基盤となるもの」と指摘している。

政府は２０１３年6月に閣議決定した「日本再興戦略」において、ＩＴ（情報技術）を活用した21世紀型スキルの修得に向けて「２０１０年代中に1人1台の情報端末による教育の本格展開に向けた方策を整理し、推進する」と明記し、義務教育段階からプログラミングなどのＩＴ教育を進めるという国家意志を示した。

文科省が２０２１年８月に公表した「ＧＩＧＡスクール構想に関する各種調査の結果」によると、全国の公立小学校の96・1％、中学校の96・5％が「全学年」または「一部の学年」でパソコンやタブレット端末の利活用を始めている。小中学校では衛星画像や航空写真を拡大提示して関心を高めたり、音楽の演奏の様子を動画コンテンツで視聴させ、楽曲に対する興味を持たせたりする工夫もなされている。２０２４年度からはデジタル教科書の本格導入も計画されている。

日本のＩＣＴ教育は海外と比べて遅れているといわれる。文科省は２０１９年12月に「ＧＩＧＡスクール構想」を発表し、小中学校の生徒１人に１台のタブレット端末を与え、高速大容量の通信ネットワークを整備することを掲げた。デジタル時代にふさわしい子供の創造性を育む教育を実現するというものだった。

しかし、ＯＥＣＤ（経済協力開発機構）による学習到達度調査（２０１８年）によると、日本は授業でデジタル機器を使う時間が平均を大きく下回っている。学校外で「コンピュータを使って宿題をする」との設問においては、日本は最下位だ。逆にゲームで遊ぶ利用頻度はトップとなっている。

背景には、教育現場の予算上の問題から無線ＬＡＮ整備やセキュリティ対策に時間がかかったことに加え、ＩＣＴ教育を推進できるだけの教員が不足していたことがある。日本財団が２０２０年12月に公表した17～19歳の男女を対象とする「18歳意識調査」によると、日本のデジタル化は遅れていると思う人が38・１％を占め、その理由として「教育現場でのデジタル化の遅れ」をあげる意見が最も多かった。

欧州では小学校からメールを通じた連絡や宿題のオンライン提出などが行われ、学習進捗状況を管理するアプリの利用や電子黒板の導入なども進む。だが、日本でタブレット端末を利用した課題のダウンロードや提出などが可能になったのは、２０２０年からの新型コロナウイルス感染拡大に伴い自宅学習の機会が増えてからだ。国公立や私立、地域でもＩＣＴ活用のレベルに差が生じている。ＩＣＴ教育を充実させるためには教員の学習も欠かせず、国が笛を吹いても踊れない状況にある。

デジタル化の遅れは、教育現場だけの話ではない。スイスのＩＭＤ（国際経営開発研究所）が発表した「デジタル競争力ランキング２０２１」によると、日本は64カ国の中で28位だった。前年から1つ、前々年からは5つも順位を落とし、過去最低となっている。特に「人材」領域は47位、「デジタル・技術」領域は62位と深刻なレベルにある。

デジタル化が遅れているのは、資源の「選択と集中」を軽視してきたことの影響が小さくない。このランキングでは人材の「国際経験」と企業の「機敏さ」「ビッグデータ解析の利用」が最低レベルにある。これまで日本の企業は均質性を求め、教育現場も「全国一律金太郎飴」方式の人材育成を進めてきた。これが「出る杭」にはならず、無難に生きていくという自衛本能と重なり、古びた教育・人材育成システムを温存してきた面は否めない。

不足するＩＴ人材を育成するにも、教育現場で「教える側」の知識や経験が追いつかないというジレンマを抱える。デジタル人材の育成は時代の要請であるものの、遅々として進まない現実から抜け出せてはいない。

最近、ＩＴ業界で「２０２５年の崖」という言葉が用いられることが多くなった。克服できなければ、２０２５年以降に年間12兆円もの経済損失が生じるとされる問題である。

経済産業省が２０１８年9月に公表した「ＤＸレポート～ＩＴシステム『２０２５年の崖』の克服とＤＸの本格的な展開～」は、この問題解決の重要性を説いている。

この中では、多くの経営者が競争力強化のためにＤＸ（デジタルトランスフォーメーション）の必要性について理解しているものの、既存システムが事業部門ごとに構築されて全社横断的なデータ活用ができなかったり、過剰なカスタマイズがなされていたりすることによるリスクを指摘。老朽化した既存システムの運用・保守から抜けられず、最新技術を習得した人材も足りないままＤＸを実現できなければ、爆発的に増加するデータを活用できず、業務基盤そのものの維持・継承が困難になり得る、と警告している。

これらの課題を克服できない場合に生じる経済損失は、２０２５年以降に年間最大12兆円。もはや国家の重要問題だろう。鍵を握るＩＴ人材の不足は２０１５年に約17万人だったが、２０２５年には約43万人まで拡大するという。

だが、システムを刷新する必要がある２０２５年までは約3年しかない。超スピードで進化するデジタル時代に対応するためには、デジタル技術を活用したビジネスモデルを創出するための経営層のマインド変化と、それに基づくシステムの再構築に向けて資源を「全集中」するしかない。

急速に進むデジタル時代の変化。柔軟かつ迅速に対応できなければ、たとえ優秀な企業であったとしても「デジタル時代の敗者」になってしまうリスクを抱えている。

■読解力を鍛えるたった一つの思考法

2021年4月から日曜日の夜、受験生やその親が注目するドラマが放送された。最高視聴率が20％を超えたTBSの「ドラゴン桜2」である。

俳優の阿部寛さんが演じる「桜木建二」、長澤まさみさんの「水野直美」という弁護士2人が独特な指導方法によって生徒たちを東大合格に導く学園ドラマだ。英語でラップするユーチューバーやツイッターで英語日記を書く生徒たちは「スタディサプリ」も活用しながら学習を進めていく。2005年の前作から16年後の続編は、時代の進化に合わせた勉強法が目立ち、桜木の「お前の道は、お前が決めろ」「時代に負けるな　今こそ、動け！」は受験に備える親子の心を打つ名台詞となった。

この中に登場にする国語の特別講師、安田顕さんが演じる「太宰府治」はとりわけユニークだ。普段はメンタル不調を抱えているような落ち込む姿が目立つものの、「対比関係」「因果関係」「同等関係」など読解の大切なポイントを教える時は鬼気迫る表情に急変し、核心を突いたメッセージを送る。

桜木が「東大合格の鍵は読解力だ！」と檄を飛ばすシーンは、デジタル時代に限らず、人間にとって重要な能力とは何かを教えてくれる。

日本人が、日本語で書かれた、日本の本や文章を読む。特にことわりがなければ、多くの人はスラスラと読むことができるだろう。目に入ってくる「情報」は紙上の活字であれ、デジタルに映し出されているものであれ、次々と当たり前のように処理されていく。ネット空間にあふれる大量の情報に加え、ツイッターやフェイスブック、インスタグラムなどのソーシャルメディアで触れる文字量を考えれば、デジタル時代は情報過多といえるほどの処理量と向き合っている。

しかし、それらの文章の一つひとつが「読解」されているのかといえば疑問符がつく。ここで言う「読解」とは、単に文章を読んで理解するだけにとどまらず、その背景や周りのものとの関係も含めた概念だ。

例えば、ソーシャルメディアのタイムライン上には大量の文字が並び、写真や動画も見ることができる。ただ、それをすべて見ているのはよほど時間的な余裕がある人だろう。多くの場合、興味や関心がある人や物事以外は飛ばしているのではないか。ネット上にあふれるニュースやブログなどにおいても、関心が高いものは「関連記事」を含めて読み込んでいるかもしれないが、それらは情報を「処理」しているのであって、「読解」にまでいたっていないように映る。

つまり、デジタル時代は大量の情報に触れてはいるものの、「読解」まではしていない。より深く言うならば、「情報」が「知識」にはなっていないのだ。

第2章でも触れたが「ドラゴン桜2」に情報提供する東大生のプロジェクトリーダーを務めた西岡壱誠氏が著した『東大読書』（東洋経済新報社）はとても面白い。この中には、「取材読みで『論理の流れ』がクリアに見える」という項目があり、西岡氏は「本の内容を自分のものにするためには、『読者』ではなく『記者』にならなければダメなんです。本を読むのではなく、本を取材しなければならないんです」と指摘している。

一般的には、本を読むことは「読書」であるわけだが、読解力を考えた場合には単に

「読む」のではなく、「記者」になる必要があるというのである。これは、大量の情報には触れているものの、「読解」にはいたらないことが多いデジタル時代に大切なポイントとなる。

では、読解力に重要な「記者になる」とはどのような意味なのか。これは記者の育成過程と無縁ではないので紹介しておきたい。

民放や通信社を除き、ＮＨＫや全国紙の新人記者は最初に地方勤務を経験する。そこでは、警察や役所などを担当することになる。幹部職員への夜回りや朝回りといったオフレコ取材に加え、街角などでカギ括弧《かっこ》付きのコメントを求めるオンレコ取材は、記者としての地歩を固める大切な経験となる。

ここで新人記者がぶつかる壁は「質問力」だ。テレビや新聞で引用するコメントを引き出す適切な質問を考えるのは当然だが、口が堅い幹部職員からのネタを狙うオフレコ取材では苦闘を強いられる。情報を漏洩すれば地方公務員法違反に問われる可能性のある職員に、その罪悪感や警戒心を抱かせることなくネタを聞き出す絶妙な質問力が問われるからだ。彼らは単に「教えてください」と言っても絶対に漏らすことはない。ぐるりと周りを固める「頭の体操」を繰り返し、徐々に詰め将棋のように問う必要がある。

■「何を質問しようか」と考えながら本を読むことで読解力が向上

2つの県での地方勤務を経験した全国紙社会部記者は、その重要性をこう語る。

「警察へのオフレコ取材では、特に質問力が鍛えられます。法律違反を取り締まる側の人に情報漏洩という法律違反を犯してください、と言っているようなものだからです。事件報道では事前に報じられてしまえば、容疑者が逃亡したり証拠隠滅を図ったりするリスクも生じます。警察は気難しい人が多い上、1回の面会時に聞けるのは数問程度。私はオフレコ取材で対象者と会う時は、必ず頭の体操を30分間ほどしてから向かいましたよ」

NHKや朝日新聞では、オープンな記者会見で一つも質問をしない記者は評価されない。それは、発表者サイドにとって都合のいい言い分を「聞いているだけ」に過ぎず、都合の悪い部分を聞いたり反対側の立場を考えたりするといった記者の役割を放棄していると見なされるからだ。「なんで質問しなかったのか?」と会見後に叱られている記者も少なくない。

西岡氏は、読解力には「著者が目の前にいたら、どういう質問をしよう？」と考えながら文章を読み、自分の中で疑問を持つ「取材読み」「質問読み」がいいのだという。本や文章を読む時、自分であればどのような記事を書くのかと想像することもプラスだろう。それらはいずれも記者の育成過程にあるものであり、一人ひとりが「記者になった」つもりで情報に触れていけば、読解力が上昇するのは必至だ。

子供たちに限らず、「取材読み」「質問読み」を進めれば、感情を込めて読むことができ、文章の流れを追いやすくなる。西岡氏はそれによって「情報」を「知識」にすることができると指摘している。

モバイル専門調査機関「ＭＭＤ研究所」が２０１８年８月実施した調査によると、電子書籍の利用経験は44・７％に上る。利用の理由は「場所を取らないから」が44・１％でトップを占め、２位は「安く買えたり、無料で読めたりするから」（41・５％）、３位は「持ち運びが楽だから」（38・０％）だ。

Ａｍａｚｏｎで購入するとわかるのだが、Ｋｉｎｄｌｅ向けの電子書籍は「紙」に比べて若干安くなっている。読みたい本を書店でわざわざ探したり、取り寄せたりする必要もなく、いつでも、どこでもネット上ですぐに購入できる。たしかに紙の新聞や雑誌をデジタル化しただけのものは読みにくいが、検索機能やハイライトを引ける電子書籍は読解力を養うのに最適といえる。

■デジタル時代の英語習得法「4つの基本、1つのヒント」

英語学習に英字新聞を活用する人は少なくない。「ジャパンタイムズ」が発行する「The Japan Times Alpha」は、その週の重要ニュースやトレンドを英文記事で紹介し、日本のみならず世界の「今」を伝えている。単に英文を「読む」だけでなく、時事問題を扱った記事からニュースを学び、文法や表現の力を高めるとともに国際感覚に触れることもできると好評だ。

2022年4月、東京・渋谷の英語教室に小学6年生の男子A君が入室した。東京都内の有名私立小に籍を置くA君は、エスカレーター式でそのまま中学、高校へと内部進学することができる。ほとんどの生徒はその道を進む。だが、A君は別の進路を自ら模索することにした。米国のボーディングスクールだ。

小学４年生から近所の個人指導塾で算数と英語を習ってきたA君は、コツコツと真面目に予習・復習をこなすタイプで学校での成績はトップクラス。とりわけ、英語には自信があった。しかし、英会話を始めて半年の同級生とサマースクールに通った時、自分の英語力があまりに未熟だったことを思い知らされた。スクールにいる同年齢の生徒たちが交わす楽しそうな会話に参加することができなかったからだ。

「これまで英語のテストは点数がよかった。でも、これだけでは通用しない。やり方を変えなければ『日本人の英語』で終わってしまう」。これまでは机上の問題集とノートを使って「読む」「書く」に時間を割いてきたが、新しい英語教室ではｉＰａｄを用いながら「聞く」「話す」を含めた４つの技能をバランスよく学ぶことにしている。

国際語学教育機関「ＥＦエデュケーション・ファースト」が１００カ国・地域の２３０万人を対象に実施した調査（２０１９年）によると、日本人の「英語能力指数（EF：English Proficiency Index）」は５段階中４番目の「低さ」と認定され、前年から４つ順位を落として53位となった。

国は2018年6月に閣議決定した「教育振興基本計画」において、「中学校卒業段階でCEFRのA1レベル相当以上、高等学校卒業段階でCEFRのA2レベル相当以上を達成した中高生の割合を5割以上にする」との指標を掲げる。

中学生や高校生の英語力は改善が見られるものの、そのレベルに達している生徒の割合は目標の5割にも達していない。ヒト・モノ・カネ、そして情報が国境を越えて動くグローバル時代、英語はコミュニケーションの観点からも重要度を増す。

英語に限らず、学習の肝は「継続」である。英単語を暗記することも大事だが、「使える英語」にするには4技能をバランスよく、継続して学んでいかなければならない。たとえ、長い海外生活を送った帰国子女であっても、日本帰国後に「継続」していかなければ英語力はやがて落ちる。それは、デジタル時代の「学習」における一つのヒントといえる。

元外務省主任分析官の佐藤優氏は、『未来を生きるための読解力の強化書』（クロスメディア・パブリッシング）で、次のように指摘している。

「『読解力』とは『読む』『書く』『聞く』『話す』の四つの力の集合体です。つまりコミユニケーションそのものの力だと考えていいでしょう。このなかで、もっとも重要な力は『読む力』です。読んで理解できないことは、聞いてもわかりません。読んで理解できないことは書けないし、話せません」

日本人が、日本語を「学ぶ」意識は一時を除けばほとんどなくなる。国語の授業でも４つの技能をバランスよく学ぼう、とは思わないだろう。

しかし、英語学習においては４技能を継続してバランスよく学ぶことが重要になる。そして、それは佐藤氏にならえば「読解力」につながるのである。デジタル時代に大量の情報を取捨選択し、活用していくためには読解力が欠かせないのは言うまでもない。

２０２１年度の「全国学力・学習状況調査」の結果を見てみよう。小中学生約１０６万人を対象に調査したもので、国語の平均正答率は2年前と比べて小学生は64・０％から64・９％と横ばいだった。しかし、中学生では73・２％から64・９％に減少していることがわかる。

詳しく見ると、小学生では「調べたことを資料を使ってスピーチする」正答率は８割を超えていたが、「目的に応じ、文章と図表を結びつけて必要な情報を見つける問題」

は34・6％と極端に低かった。

中学生を見ると、文学的な文章を読んで内容を理解する問題の正答率は71・5％だった。しかし、相手や場に応じて敬語を適切に使う問題では40・9％と低い。「文章に表されているものの見方や考え方を捉え、自分の考えを持つことに課題がある」と指摘されている。つまり、説明文を読んでわかったことを「要約」することが苦手なのだ。

明治大教授の齋藤孝氏は著書『頭がよくなる！　要約力』（ちくま新書）の中で、情報を短い時間で処理する要約力は「人と人とがコミュニケーションする時の必須の条件と考えています」と記している。

デジタル時代の学習には「学習スタイル」も重要な鍵となる。新型コロナウイルスの感染拡大も加わり、授業動画やオンライン授業で学ぶ機会は多くなったが、実はそこには「落とし穴」があると言わざるを得ない。

■ツイッターを使ったアウトプット学習に効果あり

米国立訓練研究所が示した学習方法と平均学習定着率の関係によれば、動画や音声による「視聴覚」学習の定着率は20％である。学校の授業に出席し、講義を受ける一方向の授業形態の定着率は５％と低いことを考えれば、その４倍にあたることは一見デジタル化の高い可能性を感じさせる。

ただ、気をつけなければならないことがある。それは授業動画を視聴する時であれ、オンライン授業に参加する時であれ、ほとんどの場合は授業とコミュニケーションが結びつかないのだ。自宅や通勤・通学の途中、カフェなど場所は様々かもしれないが、従来通りに授業に出席していた場合と比べ、そのコミュニケーションの場は極端に少なくなる。

同研究所が示す「ラーニングピラミッド」では、実際に実験を見たり見学に行ったりする「デモンストレーション」の定着率は30％、グループ内で意見交換する「グループ討論」は50％、学習内容を実践する「体験」では75％と高くなる。研究成果や論文の発表といった「他者に教える」は90％で、いずれもアウトプット学習から構成されるアクティブラーニングだ。

コロナ禍に「リアル」を求め、様々な体験をすることは今までに比べれば制約が多くなった。しかし、効果的な「アウトプット学習」の重要性は変わらない。たしかに窮屈ではあるものの、デジタル時代だからこそ他にもできる方法があるはずだ。

先にも紹介した人気ドラマ「ドラゴン桜２」では、阿部寛さんが演じる主人公・桜木建二がツイッターを活用し、生徒に英語で日記をツイート（投稿）するよう課している。全角で１４０文字という投稿制限がある中、英語力はもちろん、自分が記したいことを要約する力も求められるのは言うまでもない。

そして、不特定多数の人が閲覧する投稿は日々の勉強で学んだことの「アウトプット学習」にもなり、継続していけば学習効果は増す。

時と場所を選ばないデジタル時代の学習は格段に便利なものになった。たしかに「１００年に１度」といわれる感染症の脅威や制約は残るものの、あらゆることが高速化される時代に歩みを止めてしまえば、それは「デジタル時代の敗者」となりかねない。今の時代は実際の体験など「リアル」の価値も高まる。先行きを見通すことが難しい中、他者とのコミュニケーションはどうすべきなのか。自分ができる新しい学び方を模索する時代に入っている。

■時代遅れと呼ばれても……新聞記者の要約術がすごい

「自分たちがすべきことを考えることができた」

「自分とは異なる考え方があることに気づいた」

日本新聞協会が教育界と協力し、全国で展開している「ＮＩＥ」（Newspaper In Education）。新聞を教材として学校で活用する取り組みは１９３０年代に米国で始まり、日本でも１９８５年の新聞大会で提唱された。ＮＩＥ実践指定校の認定は全国に広がり、新聞協会と新聞社が購読料を全額補助。記者の出前授業や先生の新聞活用をサポートしている。

・新聞記事を読み、テーマを決めて文章を書く。そして、序論・本論・結論の構成を見直しながら推敲する（北海道の中学校）
・投稿や論説を参考にして、立場と根拠を明確にした文章を書く。友達の文を読み、根拠の確かさを確認する（愛知県の中学校）
・新聞の投稿文を読み、意見文を書く（兵庫県の中学校）

ロシアによるウクライナへの軍事侵攻が始まった２０２２年2月24日からは、これを報じる新聞を「教材」にする学校も現れた。兵庫県西宮市の中学校では、教科書の学びにとどまらず、現実に起きている戦争の惨禍を直視し、生徒たちが地理や歴史を調べてまとめた。歴史を遡っての検証も始めたという。現在進行形の問題で多角的な分析をする意義深い体験だ。

ＮＩＥのサイトには、このように記されている。

「いま子供たちに求められているのは、地域や社会の中で課題を見つけ、解決のために行動する力を育むことです。膨大な情報が行き交うインターネット社会で、正しい情報を取捨選択し、読み解く情報活用力も必要です」

そして、新聞の強みとして「事件・事故、政治、経済から文化、スポーツまであらゆる分野の情報が網羅され、その一つひとつの記事が複数の目による厳しいチェックを経て世に出ている、信頼性の高いメディアであることです」とある。

公益財団法人「新聞通信調査会」が２０２１年11月に発表した全国世論調査の結果を見ると、新聞の信頼度はたしかに高い。全面的に信頼している場合を「１００」、逆に全く信頼していない場合を「０」とする時、新聞の信頼度得点は67・7点だった。「ＮＨＫテレビ」（69・０点）にトップを譲ったものの、３位の「民放テレビ」（61・３点）を上回る。

ちなみに、「インターネット」は49・２点だった。大量の情報があふれるデジタル時代、情報を取捨選択する力、読み解く情報活用力の向上には「教育に新聞を」というＮＩＥ活動が有効との見方は強い。

それを裏付けるデータも存在する。日本新聞協会は２０１９年11～12月、全国でＮＩＥを実践する小中学校を対象に「ＮＩＥの学習効果を調べるアンケート」を実施した。それによると、日常的（週に1回以上）にＮＩＥを実践している学校ほど全国学力テストの正答率が全国平均よりも高い傾向があり、子供たちの力が伸びることが明らかになった。特に、始業前や昼休みなどに継続して新聞を読む「ＮＩＥタイム」実施校の生徒たちは、さらに学力向上が期待できることがわかったという。

２０２１年４月、東京都内の国立大学に入学した18歳男性Ｂさんは３人兄姉の末っ子だ。一番上の姉は東大、もう一人の姉は地方の国立大に進んだ。父親は鹿児島のラ・サール高から東大法学部、官僚の道を歩む。教育熱心だった父の影響で、3兄姉は小学校低学年から2つの「家庭学習」を重ねてきた。一つは「公文式」通信学習。もう一つは「読書」だった。公文式学習の徹底的な反復で基礎をしっかりと固め、その計算スピードはどんどん加速していった。それは中学入学後に通った大手進学塾でも際立ち、授業開始前に配られるプリントは5分もかからずに終える力となる。

もう一つの「家庭学習」である読書は、父親の意向が大きかった。国家公務員の収入で子供3人を私立に通わせることは難しい。姉2人は中学受験で女子最難関校に合格したが、公立に進んだ。しかし、唯一の男子である末っ子だけは父親から「最高の場所でチャンスをつかめ!」と私立進学が許された。東大合格者数ナンバーワンの開成中学だ。

ただ、入学には2つの条件が付された。一つは「成績が悪ければ、即退学して公立に転校すること」。そして、もう一つは「毎日1冊の本と、新聞を隅から隅まで読むこと」だ。超ハイレベルの同級生に囲まれ、成績は学年で思うような位置を占められなかった。しかし、もう一つの条件である「読書」は1日も欠かさず、これといって勉強をしなくても読解力だけはたしかに身についていった。中学3年に進級した時、これはすべての科目で効果的であることがわかる。難解だった問題文を読む際、もう戸惑うことがなくなったからだ。

論作文を書くことに加え、時事問題に強くなり、ディベートも得意になった自分に気づいた時、家庭内で多くを語ることがない父親に「毎日の『読書』があったから読解力が養われ、ここまで来ることができたよ。ありがとう」と感謝を伝えた。リビングにテレビを置かない、スマホやタブレット端末、パソコンも使わせない「アナログ家庭」で培われた３兄姉の能力の高さはデジタル時代に輝きを放つ

■20代以下では8割が「本を読まない」

読解力と新聞の閲読頻度の相関関係は、ＯＥＣＤ（経済協力開発機構）の「学習到達度調査（ＰＩＳＡ）２０１８」でも明らかになっている。日本の新聞を読む生徒と読まない生徒の読解力を比較した場合、新聞を「週に数回」「月に数回」読むと回答した生徒の得点は５３１点。逆に、新聞を「月に１回ぐらい」「年に数回」読む、あるいは「まったく、またはほとんどない」と回答した生徒の点数は４９８点だった。学習指導

要領には、情報活用能力の育成のため新聞の活用を図ることが明記されるようになった。デジタル時代の教育にその重要性は増す。

　前述したが、齋藤孝氏は著書で「（情報流通が）どんどん高速化される中で求められるのは、情報を素早く要約し、交換できる能力です」（『頭がよくなる！要約力』）と指摘する。情報を短い時間で処理する能力が「要約力」であると定義づけ、その要約力こそが生きる力の基本になるという。それは「人と人とがコミュニケーションする時の必須の条件と考えています」と記している。

　デジタル時代に求められる情報処理能力と情報活用能力。一言で言えば、情報の「捌き方」となる重要な能力の基礎は、毎日1冊の読書と新聞の閲読で養うことができるとAさんは強調する。リアルな「ドラゴン桜」の太鼓判だ。

　とはいえ、日本人の新聞の閲読時間は減少傾向にある。毎日新聞社の『読書世論調査』を見れば、それはデジタル化と無縁とは言えない。新聞を読む人は１９８９年の93%をピークに長期低落傾向が続いており、２０２０年版では「読まない」人が42%と２年連続で４割を超えた。10代後半と20代を合わせた層では「読まない」が８割超に達している。

また、「１日のメディア接触時間」にも変化が見られる。高度経済成長にわいていた１９７０年版を見ると、その接触時間は①テレビ２時間27分②書籍・雑誌42分③新聞35分④ラジオ34分の順に多かった。これは20年後の１９９０年版でもさほど変化はなく、①テレビ２時間24分②書籍・雑誌48分③ラジオ39分④新聞35分となっている。

ところが２０２０年版を見ると、①テレビ２時間45分②書籍・雑誌37分③ラジオ37分④新聞22分と変化が見られる。加えて、インターネットをする人の１日の平均利用時間は２時間16分に上り、書籍・雑誌・新聞という活字メディアの合計時間の２倍近くをネット利用に費やしていることがわかる。

新聞の閲読や読書が人々の能力育成に大切であることは理解されているものの、デジタル時代はその接触を難しくする。それが意味するものは決して明るいとは言えない。

■内閣情報調査室・公安調査庁に学ぶ「インテリジェンス入門」

デジタル時代が到来し、人々には、あふれる情報の中から重要なモノを発見する能力が求められるようになった。これは、料理人を例にすればわかりやすい。

最近はＹｏｕＴｕｂｅで料理動画を視聴している人が多くいるし、「家庭の一品」の質も上昇しているからイメージがわくと思うが、料理の質は素材をどのように捌くのかによって大きく異なる。もちろん、素材そのものの鮮度や出来といった「知識」も必要だろう。だが、料理人の「腕」がまずは重要になる。同じ市場で入手した魚でも、保存や調理を一つ間違えば味は大きく違う。それは情報の「捌き方」も同じなのである。

しかしながら、情報の「捌き方」を教えている動画や本はほとんどない。教育現場でインターネットの使い方やＳＮＳ上のルール、プログラミングを学ぶことはできても、それを学ぶ機会は与えられてはいない。このことは、国家としてデジタル化推進の旗を振るものの、ＩＴ人材が不足、しかしながら、それを育成できるだけの人材が教育現場にそもそも足りていないという矛盾と重なるように映る。

では、デジタル時代に欠かせない情報の「捌き方」を養うためには、どのようにすればいいのだろうか。その鍵は、ここでもやはり新聞にヒントが隠されている。デジタル化の波に押され、アナログ時代を代表するような「新聞がなぜ？」と不思議に思われるかもしれない。しかし、「アナログ」だからこそ、デジタル時代に求められる能力につながるのである。

政府機関で情報の「捌き方」を最も大切にするのは、内閣情報調査室や公安調査庁といった情報セクションだ。彼らは日常的に新聞から雑誌、ネット上の情報にも目を光らせている。新人職員が上司から真っ先に学ぶことは何かと言えば、毎日掲載されている「ベタ記事こそ大切に読む」ということである。

ベタ記事とは、新聞社の編集長やデスクらが「新聞に掲載しておく必要はあるものの、大々的に扱うニュース価値はない」と判断した記事を指す。紙面で言えば、下の方に申し訳なさそうに掲載されている短文の記事だ。価値があまりないとされる記事なのに、重要視されるのはなぜか。その理由は、ベタ記事には「価値がある」ものも紛れている点にある。

新聞は、ビッグニュースが飛び込んできたり、「今日はこれを特集する」と決めていたりすれば、紙幅の都合で構成を変える。現場の記者がその判断に納得しなくても、当番編集長ら幹部の好みや気分で記事の大小や掲載ページが変更されることがしばしば生じる。「ブンヤ」と呼ばれる職人気質の彼らは、時に怒鳴り合って自らの部署から出稿された記事が最大化されることを求めるが、実は属人的な部分も多いのだ。
例えば、政府が年末に決定する翌年度の税制改正大綱や当初予算案をめぐる紙面をめぐっては、こんなやりとりが編集局で毎年のように展開される。
政治部「これは首相のリーダーシップが発揮される内容だから、うちの方で扱いたい」
経済部「税制と予算は経済そのものだ。政治部に経済の本質はわからないので、うちが書いた方がわかりやすい」
政治部「では、ストレート記事とサイド記事ですみ分けることにしよう」
ほとんどのケースでは、政府が決定したことを伝えるストレート記事と首相側の狙いを描くサイド記事は政治部、経済や家計への影響などを分析するサイド記事は経済部が書くことになる。しかし、その前段階で他社に特ダネを報じられてしまうと展開は異なる。
政治部「これは経済ニュースだから経済部が『ウラ』を取って出してほしい」
経済部「この記事にある主語は『首相』となっている。政治部が抜かれたんだ」
編集長「もう、どっちでもいいから早く執筆してくれ！」

スムーズに「ウラ」が取れればいいが、締め切りが間近に迫るなど難しい場合には、たとえニュース価値が高くても短文の記事にせざるを得ない。国内に比べて情報ネットワークが弱い海外ニュースをめぐる扱いでもよく見られるものだ。それは、ニュース価値が高い記事であってもベタ記事扱いとなるケースが存在することを意味する。

加えて、都市部以外に配達する「早版」で大きく掲載されていた記事が、都市部の「最終版」では小さな扱いになるケースもある。それは、新聞社が加盟する共同通信が「トップ級」ニュースとして夜遅くに配信し、その結果としてレイアウトの変更を迫られることが主な理由だ。

これらの点を踏まえれば、ベタ記事になるニュースは新聞社の事情もあって、必ずしもニュース価値がないわけではないことが理解できるだろう。内閣情報調査室や公安調査庁などの情報を扱う職員は、例えば「○○氏が退任」というベタ記事を読めば退任理由を探りにかかり、重要人物の「○○氏が××と発言した」と見れば情報収集と背景の分析にとりかかる。それは一言で言えば、「ニュースの裏側を読む」という点を重視しているといえる。

■トレンドに流されず「ニュースの裏側」を読む力を養え

新聞の紙面構成には、たしかに属人的な部分がある。しかし、新聞は同時に「ニュース価値」を決める機能を持ち合わせている。コンビニや駅の売店で販売されている新聞を眺めるとわかりやすい。例外を除けば、ほとんどの新聞はトップページにあたる1面に同じニュースを掲載している。小室圭さんと眞子さんが結婚した日の翌日はその記事が1面を飾り、ロシアがウクライナに侵攻したことを報じる記事も1面にあふれた。

もちろん、これらは新聞社同士で紙面構成を示し合わせたのではない。ニュースの価値判断、すなわち何が重要な記事であるのかをそれぞれが決めた結果だ。テレビでもニュースの時間に同じ光景を目にすることは多いだろう。短い時間の中で伝えられる内容は、どのチャンネルを回してもほとんど同じである。

新聞の紙面構成や記事の大小はニュースを伝える側が決めているのに、読み手側がベタ記事まで大切にするというのは矛盾しているように感じるかもしれない。しかし、共通しているのはどちらも「属人的」ということだ。つまり、その部分は「アナログ」に頼らざるを得ないことを意味する。

仮に、ここで「デジタル」だけでニュースが決まる世界になればどうなるだろう。その性質上、アクセスが集中するのはネット空間で「注目された記事」となる。それは必ずしもニュース価値が高いと「アナログ」の世界で判断されたものではなく、「面白い」「素晴らしい」「いい加減にしろ」といった心の内側で決まる側面も否めない。

ツイッターのトレンド機能を見てもわかるように、影響力のある人が取り上げるものは、それが瞬く間に拡散され、ネット空間の「トップニュース」になる。芸能人の話題やテレビ番組での人気タレントの発言、不愉快なシーンがトレンド入りすることは多いが、それらは一部を除き新聞で大きく取り上げられることは少ない。ネット上で意図的なフェイクニュースが広がり、それが事実ではないと明らかになった後も訂正がなければ「歴史」となってしまう怖さも生じる。

多様性が尊ばれる時代、ネット上でメディアが「マスゴミ」と呼ばれ、国民の皮膚感覚との乖離も指摘されることはあるが、そこには「アナログ」が介在することがやはり重要なのだ。伝える側にも、読み手側にも情報を「捌く」ことが求められる。

情報の「捌き方」を養う——。デジタル時代に報道機関と無縁の人々が養うべき方法とは、ニュースの「裏側」を読むことにあることがわかる。アクセス数やトレンドに流されず、「なぜ、この記事が1面で報じられているのか」「このニュースの背景には何があるのか」を考える。記事の大小に限らず、それはベタ記事であっても同様だ。

ＡＩが人間の記者に勝てない論説記事やコラムなどにおいては、「自分ならば、こう考える」と思案するのもいいだろう。賛否両論が掲載される特集記事を読む時は、自らの考えに近い方だけではなく双方の主張を読み込み、スタンスに違いがあることを受け入れることも大切となる。

デジタル時代がどのように加速しても、人の「心」までデジタル化されることはない。それはＡＩの代替可能性が低い「なくならない仕事」からも明らかだ。ネット空間では自分の関心が高い記事やウェブサイトが次から次へ表示され、その「逆」に触れるためにはわざわざ検索し直す必要がある。だが、デジタル時代にその手間を惜しむことがあれば、思考や関心が凝り固まってしまう危険性をはらんでいることは理解しておく必要がある。

コラム

「読書する時代」は、本当に終わったのか

○児童書市場は活況

「それでは、今日も一緒に本を読みましょうね」

東京・世田谷区の高級住宅街。柔和な表情を浮かべ、まもなく初めての誕生日を迎える赤ちゃんに寄り添うのは母親ではない。ズラリと本棚に並ぶ絵本の「読み聞かせ」のためだけに訪れる30代女性だ。時給は５０００円超。ベビーシッターとも異なる。コーヒーカップを片手に微笑む20代の母親は「私は本を読むことが苦手。でも、子供にはたくさん読んで、賢い子になってもらいたい。それを考えれば、決して高くはない」と語る。

子供を持つ親は多かれ少なかれ、絵本の読み聞かせをした経験を持つ。書店には「○歳までに読みたい本」「子供に読んであげたい本」といったコーナーが設けられ、

教育熱心な親が大量の絵本を抱える光景は珍しくない。学習用の動画コンテンツは増えているが、デジタル時代にあっても絵本などの「アナログ教材」を好む親は多いのだ。乳幼児向けの早期教育としては、絵本やプリントなどによる教材だけで100万円近くに上ることもある。

2001年に成立した「子どもの読書活動の推進に関する法律」は、子供の読書活動は「言葉を学び、感性を磨き、表現力を高め、創造力を豊かなものにし、人生をより深く生きる力を身に付けていく上で欠くことのできないもの」(2条)と位置づける。独立行政法人「国立青少年教育振興機構」による2015年の調査によれば、読書をすることが多い子供ほどコミュニケーションスキルや礼儀、マナースキルが高い傾向にあることもわかる。国が読書の意義や効果は高いと見るのは当然だ。

子供の読書量には一つの傾向が見られる。それは、学年を重ねるにつれて「不読率」が増加するというものだ。1954年の学校図書館法施行を契機として毎日新聞社が毎年実施している「読書世論調査」は、その傾向を裏付けている。1990年版の「1カ月間に読んだ本の冊数」を見ると、小学生は「0冊」が10・5%だったが、中学生になると41・9%に急上昇している。高校生にいたっては「0冊」が

児童書販売額の推移

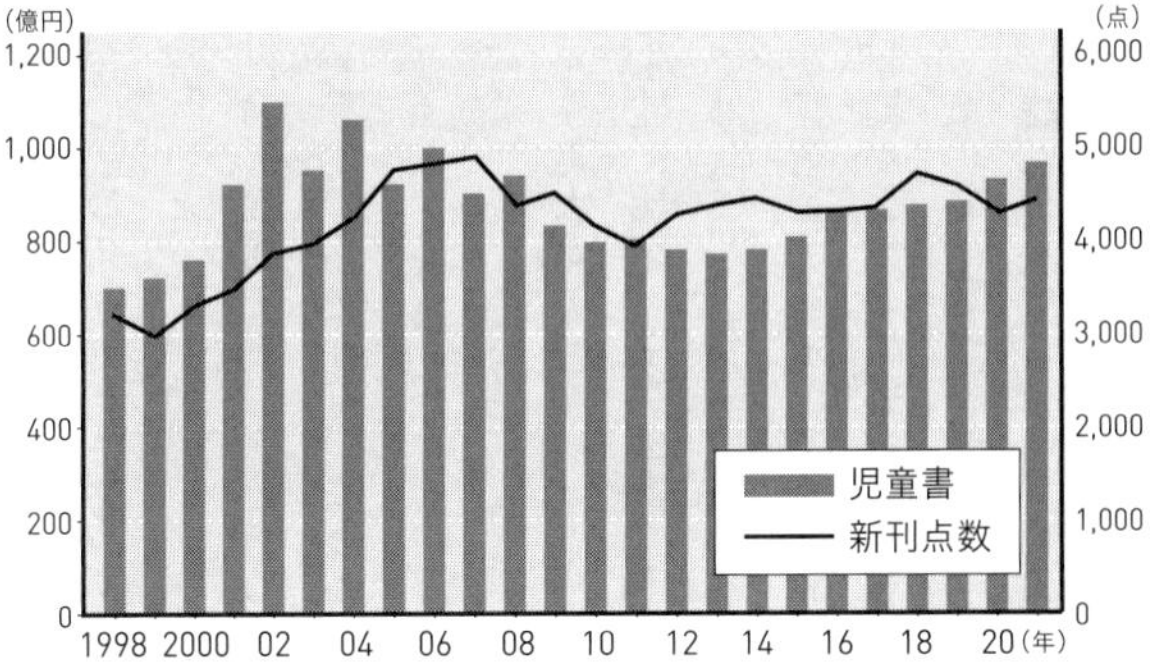

57・0％と半数を超える。
「IT革命」といわれた2000年に発行された同じ調査はどうか。1カ月間に本を1冊も読まなかった小学生は11・2％（10年前から0・7ポイント増）、中学生は48・0％（同6・1ポイント増）、高校生は62・3％（同5・3ポイント増）となっている。
文部科学省は2013年、2017年度に不読率を小学生3％以下、中学生12％以下、高校生40％以下とする目標を掲げ、読書活動を行う学校の割合も増加した。しかし、2017年度では小学生5・6％、中学生15・0％と改善傾向が見られたものの、高校生の不読率は50・

4％と依然高い。

文科省による2016年度の委託調査「子供の読書活動の推進等に関する調査研究報告書」によると、高校生が本を読まない理由は「他の活動等で時間がなかったから」が64・5％でトップを占める。授業で学ぶ教材の難度が上がり、大学受験も控えて時間的な余裕がないこともうかがえる。だが、その一方で「ふだんから本を読まないから」（32・8％）や「読むのがめんどうだから」（22・5％）、「文字を読むのが苦手だから」（9・3％）というものもあった。さらに調査は掘り下げている。「ふだんから本を読まない」高校生は、「他の活動等で時間がなかったから」と回答した生徒に比べ、中学生までの読書量がそもそも少なかった傾向があるのだ。本を好きではないという割合も8割を超えていた。文科省の委託調査でも高校生になるまでに読書習慣を形成する必要があることがわかる。

読売新聞が2021年8〜9月に18歳以上を対象として実施した全国世論調査によれば、紙の本と電子書籍を合わせた本（週刊誌や月刊誌などの雑誌は除く）を1カ月間に読んだ量は、「1冊」が16％と最も多かった。「2冊」13％、「3冊」8％と続く。しかし、「読まなかった」との回答は5割、1カ月間に本を「買わなかった」も61％に上った。読書量は若者と50代以上で少ないこともわかっている。

○読書力が認知能力に与える影響

国立青少年教育振興機構が２０２１年３月に発表した「子どもの頃の読書活動の効果に関する調査研究」（全国の20～60代の男女５０００人が対象）によると、子供の頃の読書量が多い人は「意識・非認知能力と認知機能」が高い傾向にあることがわかった。年代に関係なく、紙媒体を読まない人は増えているものの、大人になった時に「物事に進んで取り組む意欲」「一時的な記憶力」などは読書量が多かった方が高いという。

また、スマホやタブレット端末などを用いて本を読む人の割合は２０１３年の８・５％から５年間で約10ポイント増加しており、２０１８年は19・７％だった。それらを利用した１日あたりの読書時間は「15分以上」と回答した人が増えている。しかし、読書の使用ツールを整理すると、紙媒体の本で読書している人の「意識・非認知能力」が最も高い傾向があった。「自己理解力」「批判的思考力」「主体的行動力」のいずれもスマホなどを使用している場合と比べて高く表れている。

サラリと書いてしまったが、これは本に書かれていることが同じ内容でも、それをどのツールを使って読むのかによって、養われる力が変わってしまうことを意味する。デジタル化が進む中、読書量の変化と読解力の落ち込みに加えて、この点も重要になってくるだろう。

あらゆることが便利になったデジタル時代、培うべき能力はその勝者と敗者を分ける重要なポイントになる。勝者になるためには、その方法をしっかりと考える必要も出ている。

■「週刊誌にとって、いい時代」の終焉

――週刊誌にとって、いい時代だったよ。

1990年代、『週刊文春』で、花田紀凱編集長の指揮のもと、デスクを担当し、統一教会やオウム真理教の追及キャンペーンの取材班を率いた松井清人さんは私にこう告白したことがある。

松井さんは、『週刊文春』でデスクを務めたあと、『週刊文春』、月刊『文藝春秋』の編集長を経て、文藝春秋社の社長になった。

当時は、取材費が無尽蔵。統一教会を脱会したある人物を一流ホテルのスイートルームに何か月も泊めるということも平気でやっていたとおっしゃっていた。「花田編集長という異能が、どんな領収書でもハンコを押してくれた」（松井さん）という事情があったにせよ、会社でもさして問題にならなかったようだ。

そして、松井さんは、2014年に文藝春秋社の社長になるわけだが、私が松井さんと知り合ったのは、2017年頃だ。当時、文藝春秋社の全体での雑誌部数の凋落と広告収入の激減に悩んでいたころだった。会社は、赤字ギリギリのところで戦っていて、書籍でのヒット、写真集のヒットなどでどうにか黒字を確保している状態。文春の記事を巡る訴訟で「(1億円の請求が) 100万円の賠償で済んだー！」と大喜びして飲み明かしたことを昨日のことのように思い出しますが、しんどい時代に突入していたのは間違いがないようだ。

のちの文藝春秋社を財務面で支え続けることになる「不動産運用」を周囲の反対を押し切る形で決断したのもこの頃だった。

週刊誌業界を引っ張る『週刊文春』、雑誌の王様・月刊『文藝春秋』の両誌を擁する文藝春秋社ですらこのあり様である。他の出版社はもっと厳しくて、大物作家やアイドル連載の書籍化、写真集化でなんとか黒字を保っていたり、もはや黒字など夢物語で、不動産収入やコミックスの売上で会社全体の赤字を補填しているような出版社しかない。

本書でも触れたように、コンビニで、雑誌が売上に貢献しているのは、全体のわずか

1％程度である。雑誌を買う人は、雑誌だけでなく他の商品も買ってくれる可能性が高いとされているが、あれだけの広いスペースを使って売上は1％、ではいつ雑誌コーナーがコンビニから消えてもおかしくない。

そこまでして発行する意味を見出すのは、これからますます困難になっていくだろう。明日にでも廃刊の決断をしてもおかしくない。当面は、週刊誌カテゴリーと言いながら、合併号を増やして「月3回刊」「月2回刊」と減らしていくものと思われるが、それにも限界がある。合併号とは、そもそも月に木曜日が5回ある週で月4回刊に整えたり、お盆や年末年始などのお休みを取ったりするために発行されるものだった。そんな合併号を赤字減らしの手段に使うことになるとは、10年前の出版人は思ってもみなかったことだろう。

■紙とデジタルの「連合軍」が勝利のカギ

週刊誌が全滅してしまうまでに「デジタルシフト」を進めたいのが、出版業界の総意だ。ただ、オンラインは「安かろう、悪かろう」と思われているのか、いまだに軽んじられているように見える。

最たる例が、編集部の体制であろう。紙の週刊誌とオンラインの編集部が、別々になっているところがほとんどだ。そして、人材もバラバラ、連携もなく、お互いが小さなリソースを使って、疲弊しているというのが現状なのである。だいたい、年次が低いほうがオンラインの編集長になるケースが多く、出版社での発言権も極めて低い。

たしかに、紙とオンラインでは読者がまったく違う。紙の雑誌を購入しているのは60代以上が中心である。オンラインは40代ぐらいが平均的読者層だろう。また、紙の誌面で要求される編集スキルと、オンラインでのスキルも違う。

しかし、紙が潰れていく中で、各出版社では、部分的に編集部同士が連携し、紙の編集部でもオンライン記事をつくらせるようになってきた。連携したほうがメリットがあると気づいたのか、いつ紙の雑誌を止めてもいいように考えたのか、どちらが理由なのかはわからない。実態は、どちらもということだろう。

この先、紙が赤字を垂れ流したら、2つの編集部が完全に統合することになる。本書で示した売上の減り具合で、今後も推移を続けるなら、5年後には全滅することになる。

どんなに編集部の統合に反対意見がでようと、一緒につくる以外に選択肢はないのだ。一緒になれば、オンライン編集部にとって圧倒的な戦力の増強につながり、他社を出し抜くことにつながるはず。ブランド維持のために発行部数を極端に絞りながら、デジタルですべてが完結する時代がもうすぐそこまできているのだ。


本書は、佐藤健太さん、梶原麻衣子さんの尽力がなければ、形にはなりませんでした。

また、真鍋雅亮さん、鈴木崇久さん、山口圭介さん、鈴木聖也さん、間中健介さんには、本書の元となる原稿を書く場を与えていただきました。昨年、突然に亡くなってしまった松井清人さんには、たくさんのアドバイスをしてもらいたかったのですが、それは叶いませんでした。

ありがとうございます。


京都・建仁寺へ向かう新幹線車中にて。

小倉健一

週刊誌がなくなる日

「紙」が消える時代のダマされない情報術

著者　小倉健一
２０２２年９月５日　初版発行

小倉健一（おぐら・けんいち）
１９７９年生まれ。京都大学経済学部卒業。国会議員秘書を経てプレジデント社へ入社、『プレジデント』編集部配属。２０２０年1月経済誌としては当時最年少で『プレジデント』編集長就任。２０２１年7月に独立し、ＩＴＯＭＯＳ研究所を設立。現在、政治と経済を中心にニュースサイトへの記事出稿数、ヤフー雑誌記事アクセスランキング1位獲得回数を合わせ「日本一読まれているウェブ記事」を配信中。講演依頼多数。

発行者　佐藤俊彦
発行所　株式会社ワニ・プラス
〒１５０－８４８２
東京都渋谷区恵比寿４－４－９　えびす大黒ビル７Ｆ
電話　０３－５４４９－２１７１（編集）
発売元　株式会社ワニブックス
〒１５０－８４８２
東京都渋谷区恵比寿４－４－９　えびす大黒ビル
電話　０３－５４４９－２７１１（代表）
装丁　橘田浩志（アティック）
柏原宗績
企画・編集　梶原麻衣子
ＤＴＰ　株式会社ビュロー平林
印刷・製本所　大日本印刷株式会社
本書の無断転写・複製・転載・公衆送信を禁じます。落丁・乱丁本は㈱ワニブックス宛にお送りください。送料小社負担にてお取替えいたします。ただし、古書店で購入したものに関してはお取替えできません。
© Kenichi Ogura 2022
ISBN 978-4-8470-6197-4
ワニブックスＨＰ　https://www.wani.co.jp